VISITAS
A JESUS SACRAMENTADO
E A NOSSA SENHORA

VISITAS
A JESUS SACRAMENTADO
E A NOSSA SENHORA

SANTO AFONSO DE LIGÓRIO

VISITAS
A JESUS SACRAMENTADO
E A NOSSA SENHORA

Tradução
Pe. Francisco Braz Alves, C.Ss.R.
(1887-1964)

85-7200-826-8
978-65-5527-036-5 (ebook)

REIMPRIMA-SE
Por comissão do Arcebispo
Metropolitano de Aparecida,
Dom Raymundo Damasceno Assis.
Pe. Carlos da Silva, C.Ss.R.
Aparecida, 29 de agosto de 2008

1ª edição: 1985

48ª impressão

Todos os direitos reservados à **EDITORA SANTUÁRIO** – 2024

Rua Pe. Claro Monteiro, 342 – 12570-045 – Aparecida-SP
Tel.: 12 3104-2000   Televendas: 0800 0 16 00 04
www.editorasantuario.com.br
vendas@editorasantuario.com.br

INTRODUÇÃO

Para mostrar amizade e amor a alguém, nada melhor do que fazer-lhe visitas. E quanto mais frequentes as visitas, tanto mais estreitos se tornam os laços de amor e amizade.

Afonso de Ligório, homem profundamente sensível, bem o sabia. Por isso, para mostrar seu amor e sua amizade a Jesus, presente na Eucaristia, e a sua Mãe, Maria, presente em nossa vida pela sua participação no mistério de nossa redenção, escolheu também as visitas. Visitá-los e visitá-los com frequência. Colocar-se diante deles e deixar o coração falar. Foi o que ele quis ensinar aos que não sabem como se aproximar de Jesus Sacramentado e de Nossa Senhora. No texto que nos deixou, mais do que uma mente refletindo vemos um coração falando e extravasando seus sentimentos.

Inicialmente, foi para os noviços de sua Congregação Redentorista que Afonso redigiu as "VISITAS", apenas sete. A pedido de alguém que financiaria a publicação, escreveu outras, de modo que houvesse uma para cada dia do mês. Essa primeira edição saiu em 1745, seguida logo de muitas outras.

No Brasil, a primeira edição traduzida diretamente do italiano foi publicada em 1925. Hoje, a Editora Santuário está lançando sua trigésima quinta edição, cuidadosamente revisada. E o faz acreditando que ainda hoje as "VISITAS" continuem sendo um caminho válido para nos familiarizarmos cada dia mais com o nosso Deus que, no sacrário, está tão perto de nós. "Que nação tem seus deuses tão próximos de si, como nosso Deus está próximo de nós todas as vezes que o invocamos?" (Dt 4,7).

COMO FAZER A VISITA A JESUS SACRAMENTADO

Recolha-se diante do Santíssimo Sacramento, em silêncio, por alguns minutos. Faça em seguida:

1. a Oração preparatória (p. 12);
2. a Visita para o dia do mês;
3. uma breve meditação naquilo que leu, faça suas orações espontâneas, converse com Jesus;
4. a Comunhão espiritual (p. 14).

COMO FAZER A VISITA
A NOSSA SENHORA

Diante de uma imagem sua, saúde-a com suas próprias palavras. Em seguida:

1. Leia a visita correspondente ao dia do mês;

2. reze a Oração à Santíssima Virgem (p. 15).

VISITAS A JESUS SACRAMENTADO

Amor esquecido — **109**
Amor incompreendido — **113**
Amor pede amor — **62**
Bom Pastor — **52**
Conosco até o fim — **38**
Conosco por amor — **77**
Deus é amor — **55**
Deus escondido — **100**
Eterno sacerdote — **131**
Fogo de amor — **66**
Fonte da vida — **84**
Fonte de graça — **45**
Invenção do amor — **126**
Jesus acolhedor — **41**
Jesus à nossa porta — **121**
Jesus conosco — **32**
Jesus é alegria — **26**
Jesus é amor — **29**
Jesus não abandona — **58**
Jesus nos convida — **88**
Jesus, nossa vida — **70**
Jesus presente — **96**

Jesus, único bem — **48**
Nele todos os bens — **117**
Nosso tesouro — **35**
Obediente ate à morte — **105**
O melhor amigo — **80**
Pão da vida — **23**
Presença amiga — **73**
Vamos à fonte — **19**
Verbo encarnado — **92**

VISITAS A NOSSA SENHORA

Advogada nossa — **90**
Arca de salvação — **108**
Cheia de graça — **21**
Consolo dos aflitos — **47**
Esperança nossa — **68**
Estrada do Salvador — **124**
Grande rainha — **51**
Mãe acolhedora — **72**
Mãe amável — **75**
Mãe amorosa — **31**

Mão compassiva — **129**
Mãe da perseverança — **57**
Mãe de misericórdia — **37**
Mau do perdão — **94**
Mãe dos órfãos — **98**
Maria, nossa esperança — **40**
Maria, nossa mãe — **43**
Nossa confiança — **64**
Nossa paz segura — **111**
Nossa proteção — **115**
Nosso modelo — **54**
Oceano de graças — **103**
Penhor de salvação — **28**
Perpétuo Socorro — **87**
Porto dos aflitos — **120**
Refúgio dos pecadores — **79**
Senhora dos corações — **33**
Ternura de mãe — **134**
Tesouro de graças — **60**
Trono da graça — **25**
Vamos a Maria — **83**

ORAÇÃO PREPARATÓRIA

Senhor meu Jesus Cristo, que, por amor dos homens ficais, dia e noite, nesse sacramento, cheio de misericórdia e amor, esperando, chamando e acolhendo todos os que vêm visitar-vos, eu creio que estais presente no sacramento do altar. Adoro-vos do abismo do meu nada e graças vos dou por todos os vossos benefícios, especialmente por vos terdes dado a mim nesse sacramento, por me haverdes concedido por advogada Maria, vossa Mãe santíssima e, finalmente, por me haverdes chamado a visitar-vos nesta igreja.

Saúdo hoje o vosso Coração amantíssimo e quero saudá-lo por três fins: primeiro em agradecimento pelo grande dom de vós mesmo; segundo em reparação das injúrias que tendes recebido, nesse sacramento, de todos os vossos inimigos; terceiro na intenção de vos adorar, por esta visita, em todos os lugares da terra, onde vós, nesse divino sacramento, estais menos reverenciado e mais abandonado.

Meu Jesus, amo-vos de todo o meu coração. Arrependo-me de, no passado, ter ofendido tantas vezes a vossa bondade infinita. Proponho com a vossa graça não mais vos ofender no futuro. E, nesta hora, miserável como sou, consagro-me todo a vós, e vos dou e entrego a minha vontade, os meus afetos, os meus desejos, e tudo o que me pertence. Daqui em diante fazei de mim, e de tudo o que é meu, o que vos aprouver. Somente vos peço e quero o vosso santo amor, a perseverança final e o perfeito cumprimento da vossa vontade.

Recomendo-vos as almas do purgatório, especialmente as mais devotas do Santíssimo Sacramento e da Santíssima Virgem Maria.

Recomendo-vos, também, todos os pobres pecadores. Enfim, amado Salvador meu, uno todos os meus afetos aos afetos do vosso Coração amantíssimo e, assim unidos, eu os ofereço a vosso eterno Pai, pedindo-lhe em vosso nome e por vosso amor se digne de os aceitar e atender.

COMUNHÃO ESPIRITUAL

Creio, meu Jesus, que estais presente no Santíssimo Sacramento. Amo-vos sobre todas as coisas e desejo possuir-vos em minha alma. Mas como agora não posso receber-vos sacramentalmente, vinde ao menos espiritualmente ao meu coração. E, como se vos tivesse já recebido, uno-me inteiramente a vós; não consintais, Senhor, que de vós jamais me aparte.

ORAÇÃO
À SANTÍSSIMA VIRGEM

Santíssima Virgem Imaculada, Maria, minha Mãe, a vós que sois a Mãe do meu Senhor, a Rainha do mundo, a advogada, a esperança e o refúgio dos pecadores, recorro hoje eu que sou o mais miserável de todos.

Aos vossos pés me prostro, ó grande rainha, e dou-vos graças por todos os benefícios que até agora me tendes feito, especialmente por me haverdes livrado do inferno, por mim tantas vezes merecido. Eu vos amo, Senhora amabilíssima, e, pelo amor que vos tenho, prometo servir-vos sempre e fazer quanto possa para que de todos sejais amada. Em vós, depois de Jesus, ponho todas as minhas esperanças, toda a minha salvação. Aceitai-me por vosso servo e acolhei-me debaixo do vosso manto, ó Mãe de misericórdia. E já que sois tão poderosa junto de Deus, livrai-me de todas as tentações ou impetrai-me forças para vencê-las até a morte. A vós suplico o verdadeiro amor a Jesus Cristo; de vós espero alcançar uma boa morte. Minha Mãe, pelo amor que tendes a Deus, eu vos rogo que me ajudeis sempre, principalmente no último instante de minha vida. Não me desampareis enquanto não me virdes já salvo no céu a bendizer-vos e a cantar as vossas misericórdias por toda a eternidade. Assim o espero. Assim seja.

VISITAS PARA TODOS OS DIAS DO MÊS

1. VAMOS À FONTE

Jesus Sacramentado, eis a fonte de todos os bens. Ele diz: "Se alguém tem sede, venha a mim e beba" (Jo 7,37).

Com que abundância os santos sempre têm bebido as águas da graça nesta fonte do Santíssimo Sacramento, onde Jesus nos reparte todos os méritos de sua Paixão, conforme predisse o profeta: "Ireis, cheios de alegria, tomar as águas das fontes do Salvador" (Is 12,3).

À condessa de Féria, ilustre penitente do bem-aventurado João de Ávila, que se fez religiosa de Santa Clara e que, por causa de suas contínuas e prolongadas visitas a Jesus sacramentado, era chamada esposa do Santíssimo Sacramento, perguntaram uma vez o que fazia durante as longas horas que passava aos pés do altar. Respondeu ela: "Diante do tabernáculo ficaria eu por toda a eternidade. Pois não está ali a essência divina, que há de ser o sustento dos bem-aventurados? Meu Deus! Que se faz diante do Santíssimo Sacramento? Pois o que se há de fazer? Ama-se, louva-se, agradece-se, pede-se. Que faz um pobre diante de um rico? Que faz um enfermo diante do médico? Um sequioso diante de uma fonte cristalina? Um faminto assentado a uma mesa lauta?"

Meu Jesus, vida, esperança, tesouro e único amor de minha alma, quanto vos custou a permanência conosco neste sacramento! Para ficardes sobre os nossos altares preciso vos foi morrer na cruz. E depois, neste sacramento, quantas injúrias sofreis para estardes presente no meio de nós! Mas, venceu o vosso amor, venceu o desejo que tendes de ser amado por nós.

Vinde, pois, Senhor, vinde, encerrai-vos no meu coração e trancai-lhe a porta para sempre, a fim de que nenhum a criatura entre nele para compartilhar o amor que vos devo e quero dar-vos sem reserva. Vós só, meu amado Redentor, reinai sobre mim e possuí-me; e, se alguma vez não obedecer perfeitamente, castigai-me com rigor para que no futuro seja mais atento em vos agradar e fazer a vossa vontade.

Fazei que eu não deseje nem busque outro prazer mais que o de vos ser agradável, visitar-vos muitas vezes nos altares, entreter-me convosco e receber-vos na santa comunhão. Outros bens procure quem os quiser; eu, porém, só amo e só desejo o tesouro do vosso amor: isto só, e nada mais vos quero pedir aos pés do altar.

Fazei que me esqueça de mim mesmo para me lembrar somente da vossa bondade. Bem-aventurados serafins, não tenho inveja da vossa glória, mas do amor que consagrais ao vosso Deus que é também o meu; ensinai-me o que devo fazer para o amar e ser-lhe agradável.

— Meu Jesus, só a vós quero amar, só a vós quero agradar.

CHEIA DE GRAÇA

Outra fonte de graças, extremamente preciosa para nós é Maria, nossa Mãe, fonte tão rica de bens que não há no mundo um só homem que deles não participe. "Todos nós recebemos da sua plenitude", diz São Bernardo. Maria recebeu de Deus toda a abundância da graça, segundo a saudação do Anjo: Eu vos saúdo, cheia de graça. Entretanto, esta abundância de graças, ela recebeu não só para si, mas também para nós. "Maria, diz São Pedro Crisólogo, recebeu esse imenso tesouro de graças, para repartir dele com todos os seus devotos servos."

— Maria, causa da nossa alegria, rogai por nós!

2. PÃO DA VIDA

Diz o piedoso Padre Nieremberg que o pão é um alimento que se consome quando se come, e se conserva quando se guarda: razão por que Jesus Cristo quis ficar na terra, oculto sob a espécie de pão, podendo assim unir-se, pela sagrada comunhão, à alma e, além disso, ser conservado no tabernáculo, para ficar presente no meio de nós, e recordar-nos por esta forma o amor que nos consagra.

São Paulo diz que Jesus Cristo se aniquilou a si mesmo, tomando a forma de servo (Fl 2,7). Mas nós, que devemos dizer, vendo-o tomar a forma de pão? "Nenhuma língua, diz São Pedro de Alcântara, seria capaz de exprimir a grandeza do amor de Jesus por uma alma em estado de graça. Esta foi a razão pela qual, ao aproximar-se a hora de partir deste mundo, este esposo dulcíssimo, temendo que a sua ausência o fizesse esquecido, deixou em lembrança à alma, sua esposa, este augusto sacramento em que ele mesmo reside. E, assim, não quis que houvesse entre ambos, para conservar sempre viva a sua memória, outra garantia senão ele mesmo."

Meu Jesus, já que estais encerrado nesse tabernáculo para dar ouvidos às súplicas dos miseráveis que vêm pedir-vos audiência, escutai hoje a oração que vos dirige um pecador dentre todos o mais ingrato.

Aos vossos pés venho prostrar-me, arrependido e confuso, pois conheço o mal que fiz ofendendo-vos. Meu Deus, oxalá nunca vos tivesse eu ofendido! E agora sabeis o que desejo? Tendo conhecido a vossa amabilidade infinita, inflamai-me de amor para convosco; eu sinto um grande desejo de vos amar e agradar; mas, se não me auxiliais, nada poderei fazer. Dai, pois, Senhor, dai a conhecer a todo o paraíso o vosso grande poder e a vossa imensa bondade; fazei que, de escravo rebelde, eu me torne um servo todo abrasado de amor para convosco. Isto vós o podeis e quereis fazer.

Supri tudo o que me falta, a fim de que chegue a amar-vos muito, a amar-vos pelo menos tanto, quanto vos tenho ofendido. Jesus, eu vos amo sobre todas as coisas; amo-vos mais que a minha própria vida, meu Deus, meu amor, meu tudo.

— Meu Deus e meu tudo.

TRONO DA GRAÇA

Aproximemo-nos com confiança do trono da graça, a fim de obtermos misericórdia em tempo oportuno (Hb 4,16). Diz Santo Antonino que este trono é Maria, pela qual Deus nos dispensa todas as graças.

Rainha amabilíssima, já que tendes tão grande desejo de socorrer os pecadores, aqui está um grande pecador que a vós recorre: socorrei-me poderosamente, socorrei-me sem demora.

— "Único refúgio dos pecadores, tende piedade de mim" (Santo Agostinho).

3. JESUS É ALEGRIA

"As minhas delícias são estar com os filhos dos homens" (Pr 8,31). Eis que o nosso Jesus, não contente de morrer por nosso amor, quis ainda, após a sua morte, ficar conosco no Santíssimo Sacramento, afirmando que nisto encontra as suas delícias. "Homens — exclama Santa Teresa — como podeis ofender a um Deus que em vós põe as suas delícias?" Jesus acha as suas delícias em estar conosco e nós não acharemos as nossas em estar com ele? Nós especialmente que temos a honra de morar no seu palácio? Quão honrados não se julgam os vassalos a quem o rei hospeda em seu palácio! Ora, o palácio do rei é esta casa em que habitamos com Jesus Cristo. Saibamos, pois, agradecer-lhe e aproveitar-nos de sua presença.

Aqui estou, meu Senhor e meu Deus, perante este altar, onde vos conservais dia e noite por meu amor. Sois a fonte de todos os bens, o médico para todos os males, o tesouro de todos os pobres: aos vossos pés está hoje um pecador, de todos o mais pobre e enfermo, que implora a vossa piedade; tende compaixão de mim. Vendo-vos neste sacramento, descido do céu só para me fazer bem, não quero desanimar à vista da minha miséria. Eu vos louvo, agradeço e amo; e se desejais que vos peça uma esmola, eis a minha súplica; peço-vos a graça de não mais vos ofender e de amar-vos com todas as minhas forças. Senhor, eu vos amo de toda a minha alma; amo-vos com todos os meus afetos: fazei que eu diga isto com verdade e o repita sempre nesta vida e por toda a eternidade.

Maria Santíssima, meus santos padroeiros, e vós, bem-aventurados todos do paraíso, ajudai-me a amar o meu Deus amabilíssimo.

— Jesus, bom pastor e verdadeiro pão de vida, compadecei-vos de nós. Sede vós mesmo o nosso sustento e defesa, e guiai-nos para a morada da felicidade, para a terra dos vivos.

PENHOR DE SALVAÇÃO

"Os seus vínculos são cadeias de salvação" (Eclo 6,31).

Diz o piedoso Pelbarto que a devoção a Maria é uma cadeia de predestinação. Peçamos, pois a Nossa Senhora que nos prenda cada vez mais com as cadeias de amor à confiança na sua proteção.

— Ó clemente, ó piedosa, ó doce Virgem Maria.

4. JESUS É AMOR

"A sua conversação nada tem de amargo e a sua intimidade não traz aborrecimento" (Sb 8,16). No mundo, os amigos encontram tanto prazer em estar juntos que perdem nisso dias inteiros. Na companhia de Jesus sacramentado só acha tédio quem não o ama. Os santos encontravam junto dele o seu paraíso. Santa Teresa apareceu, depois de sua morte, a uma de suas religiosas, e disse-lhe: "Os que estão no céu e os que vivem na terra devem ser iguais em pureza e amor: uns gozando e outros sofrendo; e o que nós fazemos no céu diante da essência divina, deveis vós fazê-lo na terra perante o Santíssimo Sacramento". O Santíssimo Sacramento é, pois, o nosso paraíso na terra.

Cordeiro sem mancha, imolado por nós na cruz, lembrai-vos que sou uma das almas que remistes com tantas dores e com a própria morte. Fazei que sejais todo meu e que eu nunca mais vos perca, já que vos destes todo a mim e vos dais ainda cada dia, sacrificando-vos por meu amor sobre os altares. Peço-vos a graça de ser também eu todo vosso. Sim, dou-me todo a vós, para que façais de mim o que vos aprouver. Dou-vos a minha vontade: prendei-a com as suaves cadeias do vosso amor, a fim de que seja para sempre escrava da vossa santíssima vontade. Não quero mais viver para satisfazer os meus desejos, mas somente para contentar a vossa vontade. Destruí em mim tudo o que vos desagrada; dai-me a graça de só pensar em vos agradar, e de só querer o que vós quereis. Amo-vos, meu querido Salvador, de todo o meu coração; amo-vos porque quereis ser amado por mim; amo-vos porque sois infinitamente digno do meu amor. Sinto não poder amar-vos quanto o mereceis. Pudesse eu morrer por vosso amor! Aceitai, Senhor, este meu desejo e dai-me o vosso amor. Amém.

Assim seja.

— Vontade do meu Deus, eu me ofereço todo a vós.

MÃE AMOROSA

"Eu sou — diz Maria — a Mãe do belo amor" (Eclo 24,24).

Isto é, desse amor que torna formosas as nossas almas. Santa Maria Madalena de Pazzi teve uma visão em que lhe parecia ver Maria Santíssima ocupada em distribuir um doce licor, que outra coisa não era senão o amor divino. Este dom só por Maria nos é dispensado; peçamo-lo, pois, a Maria.

— Minha Mãe, minha esperança, fazei-me todo de Jesus.

5. JESUS CONOSCO

"O pássaro — diz o salmista — acha para si uma casa, e a andorinha um ninho onde agasalhe seus filhinhos" (Sl 83,4). Mas vós, meu Rei e meu Deus, fizestes para vós um abrigo e escolhestes uma habitação aqui na terra, a fim de serdes acessível a todos e morardes no meio de nós. Senhor, deve-se dizer que amais muito apaixonadamente os homens, pois já não sabeis o que mais fazer para que vos amem. Mas, amabilíssimo Jesus, dai-nos também a graça de vos amar apaixonadamente, porquanto não é justo que amemos com frieza a um Deus que nos ama com ternura. Atraí-nos com os encantos do vosso amor; dai-nos a conhecer os belos motivos que tendes de ser amado.

Majestade e bondade infinita, vós amais tanto os homens, e tanto tendes feito para serdes amado por eles: como se explica, pois, que dentre eles tão poucos vos amem? Eu não quero mais para o futuro ser do número desses infelizes e ingratos; estou resolvido a amar-vos quanto puder e a não amar senão a vós. Tanto o mereceis e com tanta ternura mo ordenais; quero contentar-vos. Fazei, Deus de minha alma, que vos satisfaça plenamente. Pelos méritos da vossa Paixão, vo-lo peço e espero. Os bens da terra, dai-os a quem os deseja: eu só desejo e busco o grande tesouro do vosso amor. Amo-vos, meu Jesus; amo-vos, bondade infinita. Vós sois toda a minha riqueza, toda a minha consolação, todo o meu amor.

— Meu Jesus, destes-vos todo a mim; eu também me dou todo a vós.

SENHORA DOS CORAÇÕES

Senhora minha, São Bernardo vos chama "roubadora dos corações". Diz que arrebatais os corações pela vossa beleza e bondade; arrebatai, eu vo-lo rogo, arrebatai também o meu coração e a minha vontade. Eu vo-la dou toda inteira, ofereci-a a Deus, unida à vossa.

— Mãe amável, rogai por mim.

6. NOSSO TESOURO

"Onde estiver o vosso tesouro, aí estará o vosso coração" (Lc 12,34). Diz Jesus Cristo que onde alguém julga possuir o seu tesouro, aí se acha também o seu afeto. Eis a razão por que os santos, que não consideram nem amam outro tesouro fora de Jesus Cristo, depositam no Santíssimo Sacramento o seu coração e todo o seu amor. Meu amável Jesus sacramentado, vós que, por meu amor, ficais dia e noite encerrado nesse tabernáculo, apoderai-vos do meu coração, eu vo-lo rogo, para que não pense senão em vós, não ame, não busque, não espere senão em vós. Fazei-o pelos merecimentos da vossa Paixão; é por eles que eu peço e espero esta graça! Meu Salvador sacramentado, amante divino da minha alma, quanto são amáveis as ternas invenções do vosso amor para vos fazerdes amar das almas! Verbo eterno, não vos bastou tomar a nossa natureza e morrer por nós na cruz, quisestes ainda dar-nos este sacramento para serdes nosso companheiro, nosso alimento e penhor da glória celeste.

Apareceis no meio de nós ora como menino num presépio, ora como pobre operário numa oficina; aqui como criminoso num patíbulo, ali como pão sobre um altar. Dizei-me, Jesus: que mais podereis inventar para que vos amem? Deus infinitamente amável, quando começarei em verdade a corresponder a tantas finezas de amor? Senhor, não quero mais viver senão para vos amar a vós somente. E de que me serve a vida, se não a emprego toda em vos amar e agradar, a vós, meu amado Redentor, que destes toda a vossa vida por mim? E que amarei eu, se não vos amo, a vós que sois todo belo, todo amante, todo amável? Que a minha alma, pois, só viva para vos amar; que o meu coração se derreta à só lembrança do vosso amor; e só de ouvir as palavras — presépio, cruz, sacramento — se inflame todo no desejo de fazer grandes coisas por vós, Jesus, que tanto fizestes e padecestes por mim!

— Permiti, Senhor, que antes de morrer, eu faça alguma coisa por vós.

MÃE DE MISERICÓRDIA

"Eu sou como a oliveira nos campos" (Eclo 24,19). Eu sou, diz Maria, essa bela oliveira da qual corre continuamente o óleo da misericórdia. E estou nos campos, a fim de que todos me vejam e a mim recorram.

Digamo-lhe, pois, com Santo Agostinho: "Lembrai-vos, misericordiosíssima Virgem Maria, que nunca se ouviu dizer que haja sido abandonado por vós algum daqueles que imploraram o vosso socorro". Não permitais, pois, seja eu tão infeliz que, recorrendo a vós, seja por vós abandonado.

— Ó Maria, concedei-me a graça de recorrer sempre a vós.

7. CONOSCO ATÉ O FIM

"Eis que estou convosco todos os dias até à consumação dos séculos" (Mt 28,20). Este nosso amoroso pastor, tendo dado a vida por nós, suas ovelhas, mesmo morrendo não quis separar-se de nós. Eis-me aqui, diz ele, eis-me aqui, queridas ovelhas, sempre convosco; por vós é que fiquei neste sacramento. Aqui me encontrareis, sempre que o quiserdes, para vos ajudar e consolar com a minha presença. Não vos abandonarei até ao fim do mundo, enquanto estiverdes sobre a terra. "O celeste Esposo — dizia São Pedro de Alcântara — queria, durante sua prolongada ausência, deixar à alma, sua esposa, uma companhia a fim de que ela não ficasse só: por isso deixou este sacramento, onde reside em pessoa, pois, era essa a melhor companhia que lhe podia deixar."

Senhor cheio de bondade, amável Salvador meu, estou visitando-vos agora neste altar; mas com que amor não me retribuís esta visita quando, pela santa comunhão, vindes à minha alma. Então não só me estais presente, mas até vos tornais meu alimento, unindo-vos e dando-vos todo a mim; assim que eu posso dizer em verdade: meu Jesus, agora sois todo meu! Já que vos dais todo a mim é justo que eu me dê todo a vós; e, no entanto, eu sou um vermezinho e vós sois Deus!...

Deus de amor, amor de minha alma, quando me verei todo vosso de verdade e não só de palavra? Em vós está, Senhor, o aumentar em mim a confiança de, pelos merecimentos do vosso sangue, alcançar a graça de ser todo vosso, dever-me, antes de morrer, todo vosso e não mais de mim mesmo.

Jesus, vós ouvis as súplicas de todos os homens; ouvi hoje a prece de uma alma que vos quer amar verdadeiramente. Quero amar-vos com todas as minhas forças e obedecer-vos em tudo, sem interesse, sem consolações, sem recompensa. Quero servir-vos só por amor, só para vos dar gosto, só para comprazer o vosso coração, que tão apaixonadamente me ama. A minha recompensa será amar-vos. Filho amado do Pai Eterno, apoderai-vos da minha liberdade, da minha vontade, de tudo o que é meu, da minha própria pessoa e dai--vos a mim. Eu vos amo, eu vos busco, por vós suspiro e só a vós quero, sim, só a vós.

— Meu Jesus, fazei que eu seja todo vosso.

MARIA, NOSSA ESPERANÇA

Senhora muito amável, toda a Igreja vos chama e saúda: esperança nossa. Portanto, vós que sois a esperança de todos, sede também a minha esperança. São Bernardo vos chamava "o fundamento de sua esperança", e acrescentava: "Aquele que desespera, ponha em vós a sua esperança". Por isso quero dizer-vos também eu: Maria, minha Mãe, vós salvais até os desesperados; em vós ponho toda a minha esperança.

— Maria, Mãe de Deus, rogai a Jesus por mim.

8. JESUS ACOLHEDOR

A toda alma que o visita no Santíssimo Sacramento, Jesus dirige as palavras que dissera outrora à esposa nos Cânticos: "Levanta-te, apressa-te, minha amada, minha toda formosa, e vem" (Ct 2,10).

Alma, que me visitas, levanta-te, sai de tuas misérias, pois eu aqui estou para enriquecer-te de mim, apressa-te, achega-te a mim, não temas a minha majestade que se humilhou neste sacramento para tirar-te o temor e inspirar-te confiança. Amiga minha; sim, alma querida, não és mais minha inimiga, mas sim minha amiga, uma vez que me amas e eu te amo também. Minha toda formosa: a minha graça é que te fez tão bela. E vem: achega-te, pois, a mim, lança-te nos meus braços, e pede-me com grande confiança tudo o que quiseres.

Dizia Santa Teresa que, se este grande Rei da glória se ocultou sob as espécies de pão e velou sua majestade neste sacramento, foi para infundir-nos coragem de achegar-nos com mais confiança ao seu divino Coração. Aproximemo-nos, pois, de Jesus com muita confiança e amor; vamos nos unir a ele e pedir-lhe graças.

Qual não deve ser a minha alegria, Verbo eterno feito homem e sacramentado por meu amor, ao saber que estou diante de vós que sois o meu Deus, a majestade e bondade infinita, que tanto amais a minha alma!

Almas que amais a Deus, onde quer que estejais, no céu ou na terra, amai-o também por mim. Maria, minha Mãe, ajudai-me a amá-lo. E vós, amadíssimo Senhor, tornai-vos o único objeto de todo o meu amor. Apoderai-vos da minha vontade e possuí-me por completo. Consagro-vos o meu espírito a fim de que pense sempre na vossa bondade; consagro-vos o meu corpo, para que me ajude a vos agradar; consagro-vos a minha alma para que seja toda vossa. Eu quisera, amado de minha alma, que todos os homens conhecessem a ternura do amor que lhes tendes, a fim de que só vivessem para vos honrar e comprazer como o desejais e mereceis. Que ao menos eu viva sempre encantado com a vossa beleza infinita! Daqui por diante quero fazer quanto possa para vos agradar. Proponho deixar tudo o que conheça não ser do vosso agrado, custe o que custar, embora tivesse de perder tudo, até a própria vida. Feliz de mim, ainda que perca tudo, contanto que vos possua, meu Deus, meu tesouro, meu amor, meu tudo!

— Jesus, meu amor, tomai-me, possuí-me todo.

MARIA, NOSSA MÃE

"Se alguém é pequeno venha a mim" (Pr 9,4). Maria convida todas as criancinhas que têm necessidade de mãe, a recorrerem a ela como à mais amorosa que é de todas as mães. "O amor de todas as mães — diz o piedoso Nieremberg — é uma sombra em comparação do amor que Maria tem a cada um de nós." Minha Mãe, Mãe de minha alma, que me amais e desejais a minha salvação mais que todos depois de Deus, mostrai que sois minha Mãe.

— Minha Mãe, fazei que eu me lembre sempre de vós.

9. FONTE DE GRAÇA

São João diz que viu o Senhor vestido de uma comprida túnica e cingido com um cinto de ouro (Ap 1,13). Assim é que Jesus se nos apresenta no Sacramento do altar, querendo com isto significar a multidão e o valor das graças que, na sua misericórdia, deseja conceder-nos. Semelhante à mãe, que corre aonde está o filhinho para nutri-lo com seu leite, Jesus nos diz: "Como filhos muito amados eu vos apertarei contra o peito" (Is 66,12).

O Venerável Padre Álvarez viu Jesus no Santíssimo Sacramento com as mãos cheias de graças, procurando a quem distribuí-las. Quando Santa Catarina de Sena se aproximava da sagrada mesa, fazia-o — dizem — com a terna avidez de uma criancinha que busca o seu alimento.

Filho unigênito e muito amado do Pai Eterno, conheço que sois o mais digno objeto do nosso amor. Por isso desejo amar-vos quanto mereceis; ao menos tanto quanto uma alma pode desejar amar-vos. Compreendo muito bem que, tendo sido assaz traidor e rebelde ao vosso amor, não mereço amar-vos nem estar perto de vós como estou nesta igreja; contudo, sei que quereis o meu amor e ouço a vossa voz que me diz: "Meu filho, dá-me o teu coração" (Pr 23,26). "Amarás o Senhor teu Deus de todo o teu coração" (Dt 6,5). Reconheço que, se me conservastes a vida e, não me precipitastes no inferno, foi para que eu me convertesse inteiramente ao vosso amor, já que ainda quereis ser amado por mim, eis-me aqui, meu Deus, a vós me entrego, a vós me dou. Amo-vos, Deus todo bondade, todo amor, e escolho-vos para único rei e senhor do meu pobre coração. Vos o quereis, eu vo-lo dou: é frio, é manchado, mas, se o aceitais, vós o transformareis. Transformai-me, Senhor, transformai-me; não ouso viver mais, como no passado, tão ingrato e tão pouco amante da vossa infinita bondade que tanto me ama e merece um amor infinito. Fazei que daqui em diante eu repare a falta de amor com que vos tratei no passado.

— Meu Deus, meu Deus, eu quero amar-vos; sim, eu quero amar-vos.

CONSOLO DOS AFLITOS

Em tudo semelhante a seu Filho Jesus, Maria, a Mãe de misericórdia, sente viva alegria quando pode socorrer e consolar os miseráveis. Tamanho é o desejo que tem esta boa Mãe de fazer bem a todos, que São Bernardino de Bústis diz: "Maior é o desejo que ela tem de fazer-nos bem e conceder-nos graça que o que nós temos de recebê-la".

— Salve, Maria, esperança nossa!

10. JESUS, ÚNICO BEM

"Insensatos do mundo — diz Santo Agostinho — infelizes, aonde ides para contentar o vosso coração? Vinde a Jesus, pois só ele vos dará o contentamento que buscais." Minha alma, não sejas tu também tão insensata, busca somente a Deus. "Procura esse único verdadeiro bem, no qual se encontram todos os bens" (Santo Agostinho). E se o queres encontrar depressa, aí está ele junto de ti: dize-lhe o que desejas, pois, para te ouvir e consolar é que ele está presente no tabernáculo.

Santa Teresa dizia: "A ninguém é permitido falar pessoalmente com o rei; o muito que alguém pode esperar é falar-lhe por meio de uma terceira pessoa. Mas, para vos falar, Rei da glória, não se requer terceira pessoa; aí no Santíssimo Sacramento sempre vos achais pronto a dar audiência a todos. Todo aquele que vos procura, aí vos encontra e vos fala com toda a singeleza. De mais a mais, se alguém consegue falar com o rei, para isso quanto não é necessário esperar? Os reis dão audiência poucas vezes ao ano; mas vós neste sacramento dais audiência dia e noite, sempre que desejamos".

Sacramento de amor, quer vos deis na sagrada comunhão, quer fiqueis sobre os altares, sabeis ganhar tantos corações com os amorosos atrativos do vosso amor. Ardendo de amor por vós e maravilhados da vossa grande bondade, se sentem felizes no vosso amor e não pensam senão em vós: apoderai-vos também do meu pobre coração, que tanto deseja amar-vos e ser sempre escravo do vosso amor. De hoje em diante coloco nas mãos de vossa bondade todas as minhas esperanças, todos os meus afetos, meu corpo e minha alma, tudo enfim. Aceitai-me, Senhor, e disponde de mim como vos aprouver. Não quero mais queixar-me das vossas santas disposições, pois sei que, procedendo todas do vosso amoroso Coração, serão disposições amorosas e para meu bem. Basta que vós as queirais, para eu também as querer no tempo e na eternidade. Fazei de mim o que quiserdes. Uno-me sem reserva à vossa vontade, que é toda santa, toda boa, toda bela, toda perfeita, toda amável.

Vontade de meu Deus, quanto me sois cara! Convosco unido quero viver e morrer: o vosso agrado seja o meu agrado, os vossos desejos sejam os meus desejos! Meu Deus, meu Deus, ajudai-me: fazei que de agora em diante eu viva só para vós, para querer só o que vós quereis, para amar somente a vossa amável vontade. Oxalá morra eu por vós, que por mim vos dignastes morrer e tornar-vos meu alimento. Detesto os dias em que fiz a minha vontade com tanto desgosto para vós. Amo-vos, ó vontade de Deus, amo-vos quanto amo a Deus, pois sois uma só coisa com Deus; amo-vos, portanto, de todo o meu coração, e dou-me todo a vós.

— Vontade de Deus, vós sois o meu amor.

GRANDE RAINHA

A nossa grande Rainha diz: "Comigo estão as riquezas... para enriquecer os que me amam" (Pr 8,18). Amemos, pois, a Maria, se queremos ser ricos de graças. O abade de Celes diz que Maria é a "tesoureira das graças". Feliz daquele que recorre a Maria com amor e confiança! Minha Mãe, minha esperança, podeis fazer-me santo; de vós espero esta graça.

— Mãe amabilíssima, rogai por mim.

11. BOM PASTOR

"Procuremos não nos afastar — diz Santa Teresa — nem perder de vista o nosso amado pastor Jesus Cristo. As ovelhas que se conservam junto do seu pastor são sempre as mais acariciadas e favorecidas, porque sempre lhes dá algum bocadinho escolhido do que ele próprio come. E se acontecer que o pastor adormeça, a ovelhinha não se afasta de junto dele até que desperte ou ela mesma o acorde; e então recebe dele novos favores e carícias." Meu Redentor sacramentado, eis-me aqui junto de vós; só uma dádiva espero de vós, a saber: o fervor e a perseverança no vosso amor.

Ó santa fé, graças vos dou por me ensinardes e dardes a certeza que no sacramento do altar, nesse pão celeste, não há mais pão, pois nele está o meu Senhor Jesus Cristo e aí está todo por meu amor. Meu Senhor e meu tudo, creio que estais presente no Santíssimo Sacramento. Embora oculto aos olhos mortais, reconheço-vos, com a luz da santa fé, na hóstia consagrada, pelo soberano do céu e da terra e Salvador do mundo. Meu bom Jesus, como sois a minha esperança, a minha salvação, a minha força e a minha consolação, assim quero que sejais também todo o meu amor e objeto único de todos os meus pensamentos, desejos e afetos. Mais prazer encontro ao considerar a infinita felicidade de que gozais e gozareis eternamente, do que se possuísse todos os bens possíveis nesta e na outra vida.

A minha maior felicidade, meu amado Redentor, é saber que sois plenamente feliz e que a vossa felicidade é infinita. Reinai, pois, Senhor, reinai vós só na minha alma; eu vo-la dou toda, tomai posse dela para sempre. A minha vontade, os meus sentidos e todas as minhas potências sejam escravas do vosso amor, e não sirvam neste mundo senão para vos dar gosto e glória. Assim foi a vossa vida,

Mãe do meu Jesus, que fostes a primeira a amá-lo neste mundo. Maria Santíssima, assisti-me e obtende-me a graça de viver daqui por diante como vós vivestes, sempre feliz, pertencendo inteiramente a Deus.

— Meu Jesus, seja eu todo vosso e vós todo meu.

NOSSO MODELO

"Ditoso o homem que vela cada dia à entrada de minha casa, e se conserva à minha porta" (Pr 8,34). Felizes aqueles que, imitando o exemplo dos pobres às portas dos ricos, não cessam de pedir a esmola de alguma graça às portas da misericórdia de Maria. E mais feliz ainda é aquele que procura imitar as virtudes que descobre em Maria, especialmente a sua pureza e a sua humildade.

— Maria, minha esperança, socorrei-me.

12. DEUS É AMOR

"Deus é amor, e aquele que permanece no amor, permanece em Deus e Deus nele"
(1Jo 4,16). Quem ama a Jesus está com Jesus
e Jesus está com ele. "Se alguém me ama,
meu Pai o amará, e viremos a ele, e nele fare-
mos nossa morada" (Jo 14,23).

Quando São Filipe Neri recebeu o santo
viático, ao ver entrar o Santíssimo Sacramento, exclamou: "Eis aí o meu amor, eis aí o
meu amor!" Diga, pois, cada um de nós na
presença de Jesus sacramentado: Eis aqui o
meu amor, eis o objeto do meu amor nesta
vida e por toda a eternidade.

Meu Senhor e meu Deus, dissestes no
Evangelho que quem vos ama será amado
por vós e vireis habitar nele para não mais
vos separardes. Senhor, eu vos amo mais
do que todos os bens, amai-me vós também,

pois prefiro o vosso amor a todos os reinos do mundo. Vinde, pois, e de tal modo fixai a vossa morada na pobre casa da minha alma, que não mais vos separeis de mim ou, para melhor dizer, que eu não mais vos expulse do meu coração; porquanto, vós não vos retirais senão quando expulso. E, como vos expulsei no passado, assim poderia expulsar-vos de novo. Não permitais que se dê no mundo esta nova perfídia, esta horrenda ingratidão, que eu, particularmente favorecido por vós, depois de tantas graças, tenha ainda a infelicidade de vos expelir da minha alma. E contudo pode isso acontecer; por isso, ó meu Deus, desejo morrer — se for do vosso agrado — a fim de que, morrendo unido convosco, tenha a ventura de viver unido convosco para sempre. Sim, meu Jesus, assim o espero. Eu vos abraço e aperto ao meu pobre coração. Fazei que sempre vos ame e sempre seja de vós amado. Sim, amabilíssimo Redentor meu, sempre vos hei de amar, e vós sempre a mim. Espero que sempre nos amaremos, Deus de minha alma, agora e por toda a eternidade. Assim seja.

— Meu Jesus, quero amar-vos sempre, e ser amado de vós.

MÃE DA PERSEVERANÇA

"Aquele que se dedica ao meu serviço — diz Maria — terá a perseverança" (Eclo 24,31). E os que trabalham por me fazer conhecer e amar aos outros, serão predestinados. Tomai, pois, a resolução de falar, todas as vezes que puderdes, seja em público, seja em particular, das glórias de Maria e da devoção que lhe é devida.

— Permiti, Virgem santa, que eu publique os vossos louvores.

13. JESUS NÃO ABANDONA

"Os meus olhos e o meu coração estarão aí todos os dias" (1Rs 9,3). Esta magnífica promessa Jesus a realizou no Santíssimo Sacramento do altar, onde quis ficar presente de dia e de noite. Meu divino Salvador, bastaria sem dúvida que ficásseis neste sacramento só durante o dia, quando encontrais, para vos fazerem companhia, adoradores de vossa divina presença. Por que quisestes ficar também de noite, quando as igrejas se fecham, e os homens se recolhem às suas casas, deixando-vos absolutamente só? Eu vos compreendo; o amor vos tornou nosso prisioneiro; o amor ardente que nos tendes de tal modo vos prendeu à terra que não permite nos abandoneis nem de dia nem de noite. Salvador amabilíssimo, esta fineza do vosso amor deveria obrigar todos os homens a permanecerem na vossa presença, diante do sacrário, e a não saírem daí senão à força. E, afastando-se, deveriam deixar aos pés do altar os seus corações e os seus afetos para com esse Deus feito homem, que fica sozinho e encerrado num tabernáculo, todo olhos para ver e prover as nossas necessidades, e todo coração para nos amar, esperando ansiosamente o dia seguinte para receber as visitas de suas almas muito amadas.

Meu Jesus, eu quero contentar-vos: consagro-vos, pois, toda a minha vontade e todos os meus afetos. Majestade Infinita de um Deus, ficastes neste divino sacramento não só para estardes perto de nós, mas principalmente para vos comunicardes às almas que amais. Mas, Senhor, quem ousará aproximar-se para se alimentar da vossa carne? Por outro lado, quem poderá afastar-se de vós? Justamente para vos unirdes conosco, e possuirdes os nossos corações, é que estais oculto na hóstia consagrada. Sim, ardeis em desejo de ser recebido por nós e o vosso prazer é estar unido conosco. Vinde, pois, meu Jesus, vinde; desejo receber-vos no meu peito para que sejais o Deus do meu coração e da minha vontade. Meu querido Redentor, pelo vosso amor dou tudo quanto possuo: satisfações, prazeres, vontade própria, tudo vos dou... Amor, ó Deus de amor, reinai sobre mim, triunfai de mim; destruí e sacrificai em meu ser tudo o que for meu e não vosso. Não consintais, meu amor, que a minha alma, cheia da majestade de um Deus, depois de vos haver recebido na sagrada comunhão, venha a aferrar-se ainda às criaturas. Amo-vos, meu Deus, amo-vos, e só a vós quero amar.

— Atraí-me, Senhor, pelos meigos laços do vosso amor.

TESOURO DE GRAÇAS

São Bernardo exorta-nos a procurar a graça e a procurá-la por intermédio de Maria. "Ela é, diz São Pedro Damião, o tesouro das graças divinas." Maria pode e quer enriquecer-nos; por isso nos convida e chama, dizendo: "Se alguém é pequeno (e pobre), venha a mim" (Pr 9,4). Senhora amabilíssima, Senhora sublimíssima, Senhora graciosíssima, volvei vosso olhar para um pobre pecador que a vós se recomenda e em vós põe a sua confiança.

— Sob a vossa proteção nos acolhemos, santa Mãe de Deus.

14. AMOR PEDE AMOR

Amável Jesus, eu vos ouço dizer daí desse tabernáculo onde residis: "Este é o lugar do meu repouso sempiterno; nele quero habitar, porque para isto o escolhi" (Sl 131,14). Se, pois, quisestes escolher a vossa morada entre nós sobre os altares no Santíssimo Sacramento, e o amor que nos tendes vos faz achar aqui o vosso repouso, justo é que os nossos corações aqui habitem sempre convosco pelo amor, e aqui achem o seu repouso e toda a sua felicidade. Felizes de vós, almas amantes, que não encontrais neste mundo consolação mais doce do que a de estar aos pés de Jesus sacramentado! Que feliz seria também eu, Senhor, se daqui em diante não encontrasse maior prazer do que o de estar sempre diante de vós ou ao menos pensando sempre em vós que, nesse

Santíssimo Sacramento, estais pensando continuamente em mim e na minha felicidade!

Senhor, por que tenho eu perdido tantos anos, nos quais não vos tenho amado? Anos infelizes, eu vos detesto; e a vós bendigo, ó paciência infinita do meu Deus, que tantos anos me tendes suportado. Apesar de tão ingrato, vós me esperais ainda: por que, meu Deus, por quê? A fim de que, um dia, vencido pelas vossas misericórdias e pelo vosso amor, eu me dê inteiramente a vós. Senhor, não quero mais ser ingrato para convosco. É justo que vos consagre o tempo, que ainda mo resta de vida, quer pouco quer muito. Espero, meu Jesus, que me auxiliareis a ser todo vosso; pois, se tanto me favorecestes, quando eu vos fugia e desprezava o vosso amor, como não devo esperar que me favoreçais agora que vos procuro e vos desejo amar, Deus digno de um amor infinito? Amo-vos de todo o meu coração, amo-vos sobre todas as coisas, amo-vos mais que a mim mesmo, mais do que a minha própria vida. Arrependo-me de vos haver ofendido, bondade infinita. Perdoai-me e, com o perdão, concedei-me a graça de vos amar muito nesta vida até à morte e, na outra, por toda a eternidade.

Pelo vosso poder. Deus Todo-Poderoso, mostrai ao mundo este prodígio: uma alma tão ingrata como a minha, convertida numa das mais fervorosas no vosso amor. Fazei-o pelos vossos méritos, meu Jesus. Isto é o que proponho fazer durante toda a minha vida; vós quo me inspirais este desejo, dai-me forças para o pôr em prática.

— Graças vos dou, meu Jesus, por me haverdes esperado até esta hora.

NOSSA CONFIANÇA

"Ninguém — diz São Germano, dirigindo-se a Maria, — ninguém se salva senão por vós, ninguém se livra dos males senão por vós, ninguém recebe um favor divino senão por vós." Assim, pois, minha Senhora e minha esperança, se não me ajudardes, estou perdido, e não poderei ir bendizer-vos no paraíso. Mas, Senhora minha, todos os santos dizem que não abandonais a quem a vós recorre. Só se perde aquele que a vós não se recomenda. A vós, pois, recorro miserável como sou e em vós ponho todas as minhas esperanças.

— "Maria é toda a minha confiança, e todo o fundamento da minha esperança" (São Bernardo).

15. FOGO DE AMOR

"Eu vim trazer fogo à terra — diz o Senhor — e que desejo senão que ele se acenda?" (Lc12,49). Dizia o venerável Pe. Francisco Olímpio, teatino, que não há na terra coisa que mais vivamente acenda o fogo do amor divino no coração dos homens do que o Santíssimo Sacramento do altar. É o que o Senhor fez conhecer a Santa Catarina de Sena, quando se deixou ver no Santíssimo Sacramento sob a forma de uma fornalha do amor, da qual saíam torrentes de chamas divinas, que se espalhavam por toda a terra. Em vista disso a santa, maravilhada, não sabia explicar como pudessem os homens viver sem se consumirem nas chamas do amor divino. Meu Jesus, abrasai-me de amor por vós; fazei que eu não pense senão em vós, não suspire senão por vos, não deseje e não procure senão a vós. Como eu seria feliz, se este fogo sagrado me possuísse por completo, e, ao se consumirem os meus anos, ele consumisse felizmente em mim todos os afetos terrenos.

Verbo divino, meu Jesus, vejo-vos sobre o altar, imolado, aniquilado e destruído por meu amor; é, pois, muito Justo que, como vos tornais vítima de amor por mim, assim eu me consagre e sacrifique todo a vós. Sim, meu Deus e meu soberano Senhor, sacrifico-vos hoje toda a minha alma, todo o meu ser, toda a minha vida. Este meu pobre sacrifício eu o associo, Pai eterno, ao sacrifício infinito que Jesus Cristo, vosso Filho e meu Salvador, vos fez de si mesmo outrora na cruz, e que renova ainda, cada dia, tantas vezes, sobre os altares. Aceitai-o, pois, pelos merecimentos de Jesus, e concedei-me a graça de o renovar todos os dias da minha vida, e de morrer sacrificando-me todo em honra vossa. Desejo a graça, a tantos mártires concedida, de morrer por vosso amor. Mas, se não sou digno de tamanho favor, ao menos concedei-me, Senhor, o de vos sacrificar de boa vontade a minha vida, aceitando desde já a morte que vos aprouver enviar-me. Senhor, eis a graça que desejo: morrer para vos honrar e ser-vos agradável. E, por isso, desde já vos sacrifico a minha vida e vos ofereço a minha morte, de qualquer forma e em qualquer tempo que ela venha.

— Meu Jesus, quero morrer para vos ser agradável.

ESPERANÇA NOSSA

Senhora minha, permiti que, com São Bernardo, eu vos chame ainda "o fundamento de minha esperança"; e deixai-mo dizer, com São João Damasceno, que "em vós depositei toda a minha esperança". Vós haveis, pois, de alcançar-me o perdão de meus pecados, a perseverança até à morte e a graça de ser livre do purgatório. Aqueles que se salvam, todos vos devem a salvação; vós, pois, Maria, é que me haveis de salvar. Tende, portanto, vontade de salvar-me e serei salvo. Ora, vós salvais todos os que vos invocam. Pois bem, eu vos invoco, dizendo:

— "Salvação dos que vos invocam, salvai-me" (São Boaventura).

16. JESUS, NOSSA VIDA

Se os homens recorressem sempre ao Santíssimo Sacramento, quando procuram remédio para seus males, certamente não seriam tão miseráveis como são. Jeremias suspirava, dizendo: "Porventura não há bálsamo em Galaad? ou não se encontra ali médico algum?" (Jr 8,22).

Galaad, montanha da Arábia, rica em unguentos aromáticos, é, no dizer de São Beda Venerável, uma figura de Jesus Cristo, que nos preparou neste sacramento todos os remédios para os nossos males. Por que então — parece dizer o Redentor — por que então vos queixais dos vossos males, filhos de Adão, sendo que tendes neste sacramento o médico e o remédio para todo mal? "Vinde todos a mim... e eu vos alentarei" (Mt 11,28). Quero, pois, dizer-vos com as irmãs de Lázaro: "Senhor, eis que está enfermo aquele que amais" (Jo 11,3).

Senhor, eu sou esse miserável a quem vós amais; os pecados abriram chagas em minha alma; venho, pois, a vós, meu médico divino, a fim de que me cureis, se o quiserdes, podeis curar-me; sim, "curai a minha alma, porque contra vós pequei" (Sl 40,5).

Bom Jesus, pelos amáveis laços do vosso amor, atraí-me todo a vós. Prefiro viver unido a vós a ser senhor de toda a terra. Nada desejo neste mundo senão amar-vos. Pouco é o que vos posso dar; mas, se pudesse ter todos os reinos do mundo, não os quisera senão para renunciá-los todos por vosso amor. Por vosso amor renuncio, pois, a tudo que possuo: a todos os meus parentes, a todas as comodidades, a todos os prazeres e até mesmo às consolações espirituais; numa palavra, sacrifico-vos a minha liberdade, a minha vontade. Quero dar-vos todos os meus afetos. Amo-vos, bondade infinita, amo-vos mais que a mim mesmo e espero amar-vos eternamente.

— Meu Jesus, entrego-me a vós, recebei-me.

MÃE ACOLHEDORA

Senhora minha, dissestes a Santa Brígida: "Por mais culpado que seja um homem, se ele vem a mim com sincero arrependimento, estou sempre pronta a recebê-lo. Não considero o número de seus pecados, mas as disposições de seu coração; pois não recuso ungir e curar as suas feridas, porque me chamo e realmente sou Mãe de misericórdia". Visto que podeis e quereis curar-me, ó Maria, eu a vós recorro, dizendo: curai todas as chagas da minha alma. Basta que digais uma só palavra a vosso divino Filho, e eu serei curado.

— Maria, tende compaixão de mim!

17. PRESENÇA AMIGA

O maior prazer das almas amantes é estarem com as pessoas a quem amam. Se, pois, amamos muito a Jesus Cristo, aqui estamos na sua presença. Jesus no seu sacramento nos vê e nos escuta; não temos então nada a dizer-lhe? Consolemo-nos com a sua companhia; regozijemo-nos com a sua glória e com o amor que lhe consagram tantas almas fervorosas. Desejemos que todos os homens amem a Jesus sacramentado e lhe consagrem os seus corações; consagremo-lhe, ao menos nós, todos os nossos afetos; seja ele todo o nosso amor e o único objeto dos nossos desejos.

O Padre Salésio, da Companhia de Jesus, só ao falar no Santíssimo Sacramento, sentia-se muito consolado. Também não se saciava de o visitar: se o chamavam à portaria, se voltava ao quarto, se andava pela casa, aproveitava sempre essas ocasiões para repetir suas visitas ao seu amado Senhor. Assim, observou-se que quase não passava uma hora no dia sem que o visitasse. Por fim, teve a felicidade de ser morto pelos hereges, quando defendia a presença real de Jesus no Santíssimo Sacramento.

Tivesse eu também a felicidade de morrer por uma causa tão bela, defendendo a verdade deste sacramento, que nos faz compreender tão bem, amável Jesus, a ternura do vosso amor para conosco! Senhor, a tantos milagres que operais neste sacramento acrescentai mais este: atraí-me todo a vós. Desejais que eu vos pertença inteiramente, e muito o mereceis; dai-me, pois, a força de vos amar de todo o meu coração. Os bens deste mundo dai-os a quem vos aprouver; quanto a mim, renuncio-os por completo. Não desejo e não quero senão o vosso amor; este é o único bem que procuro e procurarei sempre. Amo-vos, meu Jesus; fazei que eu sempre vos ame, e nada mais vos peço.

— Meu Jesus, quando vos amarei verdadeiramente?

MÃE AMÁVEL

Minha doce Rainha, quanto me agrada o belo título de Mãe amável, com que vos invocam os vossos piedosos servos! Sim, como sois amável, ó Senhora minha! "A vossa beleza arrebatou o próprio Senhor" (Sl 44,12). São Boaventura diz que o vosso nome é por si só tão amável aos que vos amam, que, pronunciando-o ou ouvindo pronunciá-lo, logo se sentem inflamar e crescer no desejo de vos amar. É justo, portanto, minha Mãe querida, que eu vos ame; mas não me contento só com o amar-vos; desejo, agora na terra e depois no céu, ser o que vos ame mais depois de Deus.

Se este meu desejo é muito ousado, a causa única disto é a vossa amabilidade e o amor especial que me tendes testemunhado. Se fôsseis menos amável, menor seria o meu desejo de amar-vos. Aceitai, pois, Senhora, este meu desejo; e como prova de que o haveis aceitado, obtende me de Deus este amor que vos peço, e que tão agradável é ao Senhor.

— Mãe amabilíssima, eu vos amo muito.

18. CONOSCO POR AMOR

Um dia, no vale de Josafat, Jesus se assentará num trono de majestade; mas agora, no Santíssimo Sacramento, está assentado num trono de amor. Se, para testemunhar o seu amor a um pobre pastor, o rei viesse habitar na aldeia onde ele mora, quão grande não seria a ingratidão desse pastor, se não fosse muitas vezes visitar o seu rei, sabendo que este desejava vivamente vê-lo, e que, só para ter mais frequente ocasião disso, é que veio estabelecer-se junto dele.

Meu Jesus, — agora o compreendo — é por meu amor que viestes residir no sacramento do altar. Desejaria, portanto, se me fosse possível, estar dia e noite em vossa presença. Se os anjos vos cercam continuamente, maravilhados do amor que nos tendes, é justo que, vendo-vos por meu amor neste altar, vos proporcione ao menos o prazer duma visita e exalte o amor e a bondade que tendes para comigo. "Na presença dos anjos cantarei os vossos louvores, no vosso santo templo vos adorarei, e, em reconhecimento da vossa misericórdia e benefícios, glorificarei o vosso nome" (SI 137,1-2).

Deus sacramentado, pão dos anjos e alimento divino, eu vos amo; mas, nem vós nem eu ficamos satisfeitos com esse amor. Amo-vos, sim, mas amo-vos muito pouco. Fazei vós mesmo, Jesus, que eu conheça a beleza e a bondade imensa que amo; fazei que o meu coração expulse todos os afetos terrenos e deixe todo o lugar só para o vosso divino amor. Para ganhardes o meu coração e vos unirdes todo a mim, desceis cada dia dos céus aos nossos altares; é, pois, justo que eu também não pense senão em vos amar, em vos adorar, em vos agradar. Amo-vos de toda a minha alma, amo-vos com todas as minhas forças. Se quereis recompensar-me por esse amor, dai-me ainda mais amor, mais ardor, para que eu cresça sem cessar no vosso amor e no desejo de vos agradar.

— Jesus, meu amor, dai-me mais amor.

REFÚGIO DOS PECADORES

Como os pobres enfermos, que, por causa de suas misérias, vivem abandonados de todos e só encontram abrigo nos hospitais públicos: assim os pecadores mais miseráveis, embora repelidos por todos, encontram acolhimento na misericórdia de Maria. Deus colocou-a neste mundo para ser o refúgio e o hospital público dos pecadores, conforme se exprime São Basílio. Esta é, também, a razão por que Santo Efrém a chama "abrigo dos pecadores". Assim, minha Rainha, se a vós recorro, não podeis repelir-me por causa dos meus pecados; e quanto mais miserável sou, tanto mais razão tenho de ser acolhido sob a vossa proteção, porque Deus vos criou para serdes o refúgio dos mais miseráveis. A vós, portanto, recorro, ó Maria, colocando-me debaixo do manto da vossa proteção. Sois o refúgio e a esperança da minha salvação. Se me rejeitásseis, para quem me voltaria?

— Maria, refúgio meu, salvai-me.

19. O MELHOR AMIGO

Se é tão agradável estar em companhia de um amigo querido, será possível que nós, neste vale de lágrimas, não sintamos nenhum prazer na companhia do melhor dos amigos, de um amigo que pode encher-nos de todos os bens, de um amigo que nos ama apaixonadamente e que, por isso, quer entreter-se continuamente conosco? Pois bem; aqui, no Santíssimo Sacramento, podemos entreter-nos com Jesus à vontade, abrir-lhe o nosso coração, expor-lhe as nossas necessidades, pedir-lhe graças; numa palavra, neste sacramento adorável, podemos tratar com o rei do céu com toda a confiança e singeleza

Diz a Sagrada Escritura que José do Egito se sentiu sumamente feliz, quando Deus se dignou descer ao cárcere para fortificá-lo com a sua graça: "A divina Sabedoria desceu com ele ao fosso, e não o deixou nas cadeias" (Sb 13,14). Porém, muito mais felizes somos nós por possuirmos sempre no meio de nós, neste vale de lágrimas, o nosso Deus feito homem, que com tanto amor e compaixão nos honra continuamente com a sua presença real.

Quanto consola a um pobre encarcerado o amigo terno que vai entreter-se com ele, e o consola e reanima sua esperança, procura-lhe socorros e esforça-se por aliviá-lo no seu infortúnio!

Ora, eis aí o que é Jesus Cristo, nosso bom amigo, que do tabernáculo nos faz ouvir estas palavras consoladoras: "Convosco estou todos os dias" (Mt 28,20). Eis-me aqui, diz e lê, todo para vós, vindo do céu à vossa prisão para vos consolar, ajudar e libertar. Acolhei-me, permanecei comigo, uni-vos a mim; deste modo não sentireis as vossas misérias; depois vireis comigo para o meu reino, onde vos farei plenamente felizes.

Deus, amor incompreensível, visto que quisestes ser tão bom para conosco, a ponto de descerdes do céu aos nossos altares para morardes no meio de nós, proponho-me visitar-vos muitas vezes; quero gozar, quanto possível, da vossa amável presença que faz a felicidade dos bem-aventurados no paraíso.

Pudesse eu estar sempre diante de vós para adorar-vos e oferecer-vos atos de amor! Despertai a minha alma, eu vo-lo rogo, quando, entorpecido pela tibieza ou absorvido pelos cuidados da terra, me descuidar de visitar-vos.

Acendei em mim um grande desejo de estar sempre perto de vós neste sacramento. Meu amoroso Jesus, não vos ter eu amado sempre! Não ter procurado sempre agradar-vos! Consolo-me ao pensar que ainda me resta tempo de o fazer não só na outra vida, mas ainda nesta. Quero amar-vos, sim, quero amar-vos verdadeiramente, meu sumo bem, meu tesouro, meu tudo.

Quero amar-vos com todas as minhas forças.

— Meu Deus, ajudai-me a vos amar.

VAMOS A MARIA

"Pecador, — diz o piedoso Bernardino de Bústis — não percas a confiança, mas recorre a esta augusta Senhora com a certeza de seres socorrido; achá-la-ás com as mãos cheias de misericórdia e de graças. E fica bem persuadido de que esta carídosíssima Rainha mais deseja fazer-te bem do que tu mesmo obteres a sua assistência."

Senhora minha, eu agradeço incessantemente a Deus o insigne favor que me fez de vos conhecer. Infeliz de mim, se não vos conhecesse ou de vós me esquecesse; grande perigo correria a minha salvação. Mas, minha Mãe, eu vos bendigo, eu vos amo e tanta confiança tenho em vós, que nas vossas mãos entrego a minha alma.

— Maria, feliz de quem vos conhece e em vós confia!

20. FONTE DA VIDA

"Naquele dia haverá uma fonte aberta para a casa de Davi e para os habitantes de Jerusalém, para serem lavadas nela as manchas dos seus pecados" (Zc 13,1).

Jesus, no Santíssimo Sacramento, é essa fonte predita pelo profeta, fonte aberta a todos, na qual podemos, quantas vezes quisermos, ir purificar nossas almas de todas as manchas que diariamente contraímos pelo pecado. Quando uma pessoa comete alguma falta, não há remédio melhor do que recorrer imediatamente ao Santíssimo Sacramento. Assim, meu Jesus, proponho fazer sempre, porque sei que as águas desta divina fonte servem, não só para purificar a minha alma, mas ainda, para alumiá-la, fortalecê-la contra as recaídas, sustentá-la nas adversidades e até abrasá-la no vosso amor. Sei que é para me cumular destes bens, que esperais a minha visita, pois é com numerosas graças que recompensais as visitas dos que vos amam. Meu Jesus, purificai-me de todas as faltas que hoje cometi e das quais me arrependo, porque vos desagradaram; e, com um ardente desejo de vos amar muito, dai-me também a força de não recair mais. Pudesse eu ficar sempre perto de vós como vossa fiel serva Maria Díaz, contemporânea de Santa Teresa! Ela obtivera do bispo de Ávila permissão para habitar na tribuna de uma igreja e ali permanecia quase continuamente diante do Santíssimo Sacramento, ao qual ela chamava o seu vizinho; dali não saia senão para se confessar e comungar. O venerável irmão Francisco do Menino Jesus, carmelita descalço, passando diante das igrejas, onde estava o Santíssimo Sacramento, não podia deixar de entrar nelas para o visitar, dizendo que não convém que um amigo passe pela casa de seu amigo sem entrar nela ao menos para saudá-lo e dizer-lhe uma palavra. Ele, porém, não se contentava com uma palavra, e permanecia sempre o mais que podia diante do seu amado Senhor.

Meu único e infinito bem, vejo que instituístes este sacramento e residis neste altar para que eu vos ame, e para este fim é que me destes um coração capaz de vos amar muito. Mas, então, por que sou tão ingrato e não vos amo, ou vos amo tão pouco? Não, não é justo que seja pouco amada uma bondade tão amável como vós; ao menos, pelo amor que me tendes, mereceis ser amado de outro modo. Vós sois um Deus infinito e eu, um vermezinho desprezível. Pouco é que eu morra por vós e por vós me consuma, pois por mim morrestes, ficastes no Santíssimo Sacramento por mim e cada dia vos sacrificais sobre os altares por meu amor. Vós mereceis um amor sem medida; e é sem medida que eu vos quero amar. Ajudai-me, meu Jesus, ajudai-me a amar-vos e a fazer o que vos agrada, e que tanto desejais de mim.

— O meu amado Jesus é meu e eu sou dele.

PERPÉTUO SOCORRO

Rainha cheia de ternura e piedade, Senhora amável, que bola confiança me dá São Bernardo, quando a vós recorro! "Vós — diz ele — não examinais os merecimentos daquele que recorre à vossa bondade, mas dais a vossa assistência a todos os que a imploram." Se pois vos invoco, haveis de escutar-me. Ouvi então esta minha súplica: Eu sou um pobre pecador, que o inferno mil vezes tenho merecido; mas quero mudar de vida, quero amar ao meu Deus, a quem tanto tenho ofendido. A vós me entrego como escravo, a vós me dou, miserável como sou. Salvai aquele que é vosso, e já não pertence a si mesmo. Senhora minha, ouvistes-me? Espero que não só me tenhais ouvido, mas também atendido.

— Maria, eu sou vosso, salvai-me.

21. JESUS NOS CONVIDA

"Em toda parte, onde se achar o corpo, aí se reunirão as águias" (Lc 17,37). Por este corpo os santos entendem comumente o de Jesus Cristo; e pelas águias entendem as almas desapegadas, que se elevam, como estas aves, acima das coisas da terra e voam para o céu, para onde tendem sem cessar por seus pensamentos e afetos, e onde têm a sua morada contínua. Estas almas, mesmo neste mundo têm o seu paraíso, onde quer que encontrem o Santíssimo Sacramento, e parece que nunca se lhes sacia o desejo que sentem de ficar na sua presença. Quando as águias — diz São Jerônimo — percebem de longe a presa, logo se lançam para tomá-la. E nós com quanto maior ardor não devemos correr e voar para Jesus sacramentado, como para o mais precioso alimento de nossas almas!

Por isso, neste vale de lágrimas, os santos sempre correram com avidez, como cervos sequiosos, a esta fonte celeste. O Padre Baltazar Álvarez, da Companhia de Jesus, qualquer que fosse a sua ocupação, muitas vezes volvia os olhos para o lugar onde se achava o Santíssimo Sacramento: visitava-o com frequência, passando às vezes noites inteiras na sua presença. Chorava ao ver os palácios dos grandes cheios de gente fazendo corte a um homem, do qual esperam algum mísero bem, enquanto que ficam abandonadas as igrejas, onde reside, no meio de nós, como num trono de amor, o soberano Senhor do mundo, rico de bens imensos e eternos. E dizia que os religiosos são muito felizes porque, sem saírem de suas casas, podem visitar quantas vezes quiserem, de dia e de noite, este augusto Senhor, no Santíssimo Sacramento, o que não podem fazer as pessoas do século.

Amado Senhor meu, já que a vista das minhas manchas e ingratidões não vos impede de convidar-me com tanta bondade a aproximar-me de vós, não quero desanimar por causa das minhas misérias; a vós venho, de vós me aproximo. Vós me mudareis completamente em outro, banindo do meu coração todo amor que não é para vós, todo desejo que não vos é agradável, todo pensamento que não tende para vós.

Meu Jesus, meu amor, meu tesouro, meu tudo, só a vós quero agradar. Só vós mereceis todo o meu amor, a vós só quero amar de todo o meu coração. Desapegai-me de tudo, Senhor, e ligai-me todo a vós; mas ligai-me tão bem, que não possa mais separar-me de vós nem nesta nem na outra vida.

— Meu bom Jesus, não permitais que eu me separe de vós.

ADVOGADA NOSSA

Dionísio Cartusiano chama a Santíssima Virgem de "Advogada de todos os pecadores que a ela recorrem". Ó grande Mãe de Deus, já que o vosso ofício é defender as causas dos maiores criminosos que a vós recorrem, aqui estou aos vossos pés, a vós recorro e digo com Santo Tomás de Vila Nova: "Eu vos suplico, Advogada minha, fazei o vosso ofício", defendei a minha causa. É verdade que eu me tenho tornado culpado para com Deus, ofendendo-o tanto depois de haver recebido dele tantos favores e graças; mas o mal está feito; vós, porém, podeis salvar-me.

Dizei simplesmente a vosso Deus que abraçais a minha defesa, e ele me perdoará, e serei salvo.

— Minha Mãe muito amada, a vós incumbe salvar-me.

22. VERBO ENCARNADO

A Esposa dos sagrados Cânticos andava procurando o seu Dileto, e não o encontrando, perguntava: "Vistes acaso aquele que o meu coração ama?" (Ct 3,3). Jesus não estava então nesta terra; mas agora, toda alma que ama a Jesus e o procura está certa de o encontrar sempre no Santíssimo Sacramento. O bem-aventurado João de Ávila dizia que, entre todos os santuários, não se pode encontrar nem desejar nenhum mais amável do que uma igreja, onde repousa o Santíssimo Sacramento.

Amor infinito do meu Deus, digno de infinito amor! Como pudestes, Jesus meu, abater-vos tanto? Para vos entreterdes com os homens e vos unirdes aos seus corações, humilhaste-vos ao ponto de vos ocultardes sob as espécies do pão. Verbo encarnado, o vosso abatimento não teve limites, porque o vosso amor também não os tem. Como poderei deixar de amar-vos com toda a minha alma, quando sei o quanto fizestes para cativar o meu coração?

Amo-vos ardentemente e por isso prefiro a vossa vontade a todos os meus interesses e à minha própria satisfação. Toda a minha felicidade consiste em ser-vos agradável, meu Jesus, meu Deus, meu tudo. Inflamai o meu coração num grande desejo de estar continuamente diante de vós sacramentado, de receber-vos e de fazer-vos sempre companhia. Eu seria um ingrato se não aceitasse tão doce e amável convite, Senhor, destruí em mim todo o afeto às criaturas. Vós quereis, meu Criador, ser o único objeto dos meus suspiros, de todos os meus afetos; pois bem, amo-vos, bondade infinitamente amável do meu Deus, e não desejo senão a vós. Não procuro a minha satisfação, mas a vossa; basta que eu vos agrade. Aceitai, Jesus, o desejo de um pecador, que quer amar-vos. Ajudai-me com a vossa graça; fazei que, de miserável escravo do inferno, eu me converta de hoje em diante em feliz escravo do vosso amor.

— Jesus, meu supremo bem, eu vos amo sobre todos os bens.

MÃE DO PERDÃO

Senhora minha e minha terna Mãe, eu sou um súdito rebelde de vosso divino Filho; contudo, arrependido, venho implorar a vossa misericórdia, a fim de me obterdes o perdão. Não me digais que não o podeis, porque São Bernardo vos chama "dispensadora do perdão". Cumpre-vos socorrer também os que estão ameaçados, pois Santo Efrém vos chama "socorro dos que estão em perigo". Senhora minha, quem está mais em perigo do que eu? Perdi o meu Deus; é certo que fui condenado ao inferno; não sei se Deus já me perdoou, e ainda posso tornar a perdê-lo. Mas vós podeis obter-me todos os bens e de vós eu os espero: o perdão, a perseverarança, o céu. Espero que, salvo pela vossa intercessão, ó Maria, eu seja no reino dos bem-aventurados, um dos que mais louvarão as vossas misericórdias.

— Misericórdias de Maria, eu vos cantarei eternamente, sim, eternamente.

23. JESUS PRESENTE

Muitos cristãos suportam grandes fadigas e expõem-se a inúmeros perigos para visitar os lugares da Terra Santa, onde o nosso bondoso Salvador nasceu, padeceu e morreu. Nós, porém, não precisamos fazer uma viagem tão longa nem expor-nos a tantos perigos; o mesmo Senhor reside pessoalmente junto de nós, na igreja, a poucos passos de nossas casas. Juigam-se muito felizes os peregrinos — diz São Paulino — por poderem trazer dos lugares santos um pouco de terra do presépio ou do sepulcro, onde foi sepultado Jesus; e nós, com que ardor não devemos visitar o Sacramento, onde se acha o mesmo Jesus em pessoa, e isso sem fadigas nem perigos para nós?

Uma pessoa piedosa, a quem Deus concedera um grande amor ao Santíssimo Sacramento, exprimia numa carta, entre outros, estes pensamentos: "Reconheci que todo o bem que possuo, ao Santíssimo Sacramento o devo. Dei-me e consagrei-me inteiramente a Jesus sacramentado. Vejo uma multidão imensa de graças que não são recebidas, porque não se recorre a este divino sacramento. E no entanto, vejo que Nosso Senhor tem grande desejo de distribuir as suas graças neste sacramento. Divino mistério! Hóstia sagrada! Onde manifesta Deus melhor o seu poder? Esta hóstia encerra tudo o que Deus fez por nós. Não invejemos os bem-aventurados, porque temos aqui na terra o mesmo Senhor com mais maravilhas do seu amor. Fazei que as pessoas com quem tratais se consagrem sem reserva ao Santíssimo Sacramento. Eu falo assim porque este divino mistério me transporta e extasia. Não posso deixar de falar dele, pois merece tanto o nosso amor. Já não sei o que fazer por Jesus sacramentado". Assim termina a carta.

Anjos de Deus, viveis abrasados de amor diante daquele que é vosso e meu Senhor; e, contudo, não é por vosso amor que este Rei do céu está sob as espécies da hóstia consagrada, mas por amor de mim. Deixai-me, pois, anjos amantíssimos, deixai-me arder e consumir do ardor que vos devora, para que vivamos juntamente abrasados nas mesmas chamas. Meu Jesus, fazei-me conhecer as grandezas do vosso amor para com os homens, a fim de que, à vista de tão grande amor, aumente sem cessar em mim o desejo de vos amar e agradar. Amo-vos, Senhor amável, e quero amar-vos sempre, e amar-vos somente para vos agradar.

— Meu Jesus, em vós creio, em vós espero, a vós amo, a vós me dou.

MÃE DOS ÓRFÃOS

Virgem amável, São Boaventura vos dá o nome de "Mãe dos órfãos", e Santo Efrém, o de "Asilo dos órfãos". Quem são esses pobres órfãos senão os pecadores que perderam a Deus? A vós então recorro, Maria; perdi meu Pai, mas vós sois minha Mãe; a vós incumbe fazer que eu o torne a encontrar. Na minha extrema desventura, imploro o vosso socorro; socorrei-me.

Deixar-me-eis na desolação? Não, responde Inocêncio III: "Quem jamais a invocou, e não foi por ela atendido e socorrido?" Quem jamais se perdeu, depois de ter a vós recorrido? Só se perde quem a vós não recorre. Assim, minha Rainha, se quereis a minha salvação, fazei que sempre vos invoque e em vós confie.

— Maria, minha Mãe santíssima, enchei-me de confiança em vós.

24. DEUS ESCONDIDO

"Vós sois em verdade um Deus oculto" (Is 45,15). Em nenhuma outra obra do amor divino se verificam tão bem estas palavras como no mistério adorável do Santíssimo Sacramento, em que o nosso Deus se conserva todo escondido. Encarnando-se, o Verbo eterno ocultou a sua divindade, e apareceu na terra apenas como homem; mas, morando entre nós neste sacramento, Jesus esconde também a sua humanidade e só deixa ver as aparências do pão para manifestar-nos a ternura do seu amor para conosco. "Escondida está a sua divindade — diz São Bernardo — escondida está a sua humanidade; só as entranhas de sua caridade se mostram sem véu."

Amado Redentor, quando considero o excesso do vosso amor aos homens, fico fora de mim e não sei mais o que dizer. Por amor deles, chegastes, neste sacramento, a ocultar a vossa majestade, obscurecer a vossa glória, chegastes a consumir e abater a vossa vida divina. E, enquanto estais nos altares, parece que não tendes outra ocupação senão amar os homens, e fazer brilhar o amor que lhes tendes. E eles que reconhecimento vos testemunham, Filho augusto de Deus?

Jesus, ó amante (permiti que assim vos fale), ó amante muito apaixonado dos homens, — pois que preferis os seus interesses à vossa própria honra — não sabíeis a que desprezo devia expor-vos esta invenção do vosso amor? Eu vejo, e vós mesmo o vistes antes de mim, que a maior parte dos homens não vos adora nem vos quer reconhecer pelo que sois neste sacramento. Sei que, mais de uma vez, estes mesmos homens o usaram calcar aos pés as hóstias consagradas, atirá-las ao chão, à água e ao fogo. Vejo com surpresa que a maior parte daqueles que em vós creem, em vez de repararem tantos ultrajes por suas homenagens, vêm às igrejas para mais vos agravar por suas irreverências, ou deixam-vos só e abandonado sobre o altar, por vezes desprovido até de lâmpadas e dos ornamentos necessários.

Pudesse eu, meu bondoso Salvador, lavar com as minhas lágrimas e até com o meu sangue esses infelizes lugares em que o vosso amor tem sido tão indignamente ultrajado nesse sacramento! Mas, se não me é concedida esta felicidade, ao menos, Senhor, proponho visitar-vos muitas vezes para vos adorar, como neste momento vos adoro, em expiação dos desprezos que recebeis dos homens neste divino mistério.

Aceitai, Pai Eterno, esta fraca homenagem que a mais miserável das criaturas vos rende hoje em reparação dos ultrajes feitos a vosso Filho no Santíssimo Sacramento; aceitai-a em união com a honra infinita que Jesus Cristo vos rendeu na cruz e todos os dias vos rende sobre os altares. Que bom se eu pudesse, meu Jesus, inspirar a todos os homens um ardente amor pelo vosso adorável sacramento!

— Amável Jesus meu, fazei-vos conhecer, fazei-vos amar.

OCEANO DE GRAÇAS

Senhora minha poderosíssima, nos temores que me inspira a minha salvação eterna, quando me conforta a confiança, quando a vós recorro e penso, minha Mãe, nos tesouros de graça e de ternura que estão em vós. De uma parte, São João Damasceno vos chama "oceano de graças"; São Boaventura, "vasto reservatório onde se acham reunidas todas as graças"; Santo Efrém, "fonte de graça e de toda consolação", o São Bernardo, "plenitude de todos os bens"; e de outra parte, vejo-vos tão inclinada a fazer o bem, que, segundo São Boaventura, "vos ofendeis quando não vos pedimos graças". Rainha da graça, da sabedoria e da clemência, sei que conheceis melhor do que eu as necessidades de minha alma, e que o amor que me tendes é muito superior ao que vos consagro; sabeis qual a graça que hoje vos peço?

Obtende-me a graça que sabeis ser a mais útil para a minha alma; rogai a Deus que se digne de ma conceder, e satisfeito fico.

— Meu Deus, concedei-me as graças que Maria vos implora para mim.

25. OBEDIENTE ATÉ À MORTE

São Paulo louva a obediência de Jesus, dizendo que ele obedeceu a seu eterno Pai até à morte. "Ele se fez obediente até à morte" (Fl 2,8), Mas, neste sacramento, vai mais longe: quis ser obediente não só ao Pai Eterno, mas ainda ao próprio homem, e isto não só até à morte, mas até ao fim do mundo. Ele, o Rei do céu, desce sobre o altar à voz do homem, e parece aí ficar exclusivamente para obedecer aos homens: "Quanto a mim, diz ele, não resisto" (Is 50,5).

Ali está sem movimento próprio; deixa-se ficar onde o colocam, seja exposto na custódia, seja encerrado no tabernáculo; deixa-se levar para onde o levam, às casas ou pelas ruas; deixa-se dar na comunhão a todos que o querem receber, ao justo como ao pecador. Enquanto vivia aqui na terra, diz São Lucas, Jesus obedecia a Maria Santíssima e a São José; mas, neste sacramento, obedece a tantas criaturas, quantos sacerdotes há no mundo: "Quanto a mim não resisto".

Permiti que vos fale, neste momento, Coração amado do meu Jesus, donde saíram todos os sacramentos e, em particular, este sacramento de amor. Eu quisera tributar-vos tanta glória e honra quanta vós tributais, em nossas igrejas, a vosso Eterno Pai. Sei que, neste altar, me continuais a amar com o mesmo ardor com que na cruz destes a vida por mim, no meio de horríveis tormentos. Iluminai, Coração divino, para que vos conheçam e aqueles que vos não conhecem. Pelos vossos merecimentos livrai do purgatório ou ao menos aliviai as almas que lá padecem e são vossas esposas eternas. Adoro-vos, agradeço-vos e amo-vos com todas as almas que neste momento vos amam na terra e no céu. Coração puríssimo, purificai o meu coração de todo o apego às criaturas e enchei-o de vosso amor. Coração cheio de ternura, apossai-vos de tal modo de meu coração, que ele seja todo vosso e de agora em diante eu possa dizer: "Nada é capaz de separar-me do amor de Deus que é em Jesus Cristo" (Rm 8,35).

Coração divino, gravai em meu coração as penas tão amargas que por mim sofrestes durante os anos de vossa vida mortal, a fim de que eu chegue a desejar ou ao menos a suportar pacientemente, por amor de vós, todas as penas desta vida. Coração humílimo de Jesus, ensinar-me a vossa humildade. Coração cheio do mansidão, comunicai-me a vossa doçura. Tirai do meu coração tudo o que vos não agrada; convertei-o inteiramente a vós, para que não queira nem deseje senão o que vós mesmo desejais. Fazei, numa palavra, que eu viva só para vos amar e agradar. Reconheço que muito vos devo e sou obrigado; pouco seria se me sacrificasse e consumisse todo por vós.

— Coração de Jesus, vós sois o único senhor do meu coração.

ARCA DE SALVAÇÃO

São Bernardo diz que Maria é a arca celeste que nos salvará certamente do naufrágio da condenação eterna, se nela nos refugiarmos a tempo. A arca, que salvou Noé do naufrágio universal, era uma figura de Maria; mas, diz Hesíquio, Maria é uma arca mais vasta, mais poderosa, mais benéfica. A arca de Noé não recebeu e não salvou senão um pequeno número de homens e de animais; mas a nossa Libertadora recebe todos os que buscam abrigo sob o seu manto e a todos salvará seguramente. Como seríamos infelizes se não tivéssemos Maria! E contudo, quantos ainda se perdem, minha Rainha! E por quê? Porque não recorrem a vós. Quem jamais se perderia se a vós recorresse?

— Fazei, ó Maria, que todos a vós recorramos sempre.

26. AMOR ESQUECIDO

"Exulta e louva o Senhor, ó casa de Sião, porque o Grande, o Santo de Israel está no meio de ti" (Is 12,6). Meu Deus, que alegria, que esperanças, que afetos não deveríamos conceber nós homens, ao considerar que no meio de nossa pátria, em nossas igrejas, perto de nossas casas, habita e vive, no Santíssimo Sacramento do altar, o Santo dos santos, o verdadeiro Deus, aquele cuja presença faz a felicidade dos bem-aventurados no céu, aquele que é o amor mesmo! "Este sacramento, — diz São Bernardo, — não é somente um sacramento de amor, mas é o amor mesmo"; é esse Deus que, pelo amor imenso que tem às criaturas, é chamado, e com efeito é o amor em essência: "Deus é amor" (1Jo 4,16).

Mas ouço que vos queixais, Jesus sacramentado, que viestes à terra para ser nosso hóspede e nos cumular de bens, e não fostes acolhido por nós: "eu estava entre vós e não me recebestes" (Mt 25,43).

É verdade, Senhor, tendes razão: eu mesmo sou um desses ingratos que vos hão deixado só, que não vos têm visitado. Castigai-me como quiserdes, mas não me apliqueis a pena que mereço, isto é, a de ser privado da vossa presença, pois eu quero emendar-me e reparar a minha criminosa indiferença; quero para o futuro não só visitar-vos com frequência, mas também entreter-me convosco tanto quanto possa. Misericordiosíssimo Salvador, fazei que eu vos seja fiel e que com o meu exemplo excite os outros a vos fazerem companhia no Santíssimo Sacramento. Ouço o Eterno Pai que nos diz: "Eis aqui o meu Filho muito amado, em quem pus todas as minhas complacências" (Mt 17,5).

Um Deus acha em vós, ó Jesus, todas as suas complacências, e eu, vermezinho desprezível, não acharei a minha felicidade em estar convosco neste vale de lágrimas? Fogo consumidor, destruí em mim todo o apego às coisas criadas, porque só elas podem tornar-

-me infiel e afastar-me de vós. Vós o podeis, se quiserdes: "Senhor, se quiserdes, podeis curar-me" (Mt 8,2).

Já me tendes feito tantos favores, acrescentai mais este: bani do meu coração todos os afetos que não tendem para vós. Aqui me tendes, eu me entrego inteiramente a vós; o restante de minha vida, consagro-o hoje todo ao amor do Santíssimo Sacramento. E vós, Jesus sacramentado, sede o meu amor durante a vida e na hora da morte, nessa hora em que haveis de ser o meu viático e o meu guia para o reino da vossa eterna felicidade. Assim o espero, assim seja. Amém.

— Meu Jesus, quando verei a beleza da vossa face?

NOSSA PAZ SEGURA

Em vós, Maria, nossa Mãe santíssima, encontramos remédio para todos os nossos males: em vós, "o amparo de nossa fraqueza", como diz São Germano; em vós, "a porta para sairmos da escravidão do pecado", segundo São Boaventura; em vós, "a nossa paz segura", conforme o mesmo Santo, que vos proclama doce repouso dos mortais; em vós, "a consolação nas misérias de nossa vida", segundo São Lourenço Justiniano. Em vós, finalmente, encontramos a graça de Deus e Deus mesmo, pois São Boaventura vos chama "trono da graça divina", e São Próculo: "a ponte por onde Deus desce para os homens", ponte salutar pela qual Deus, separado de nós por causa de nossos pecados, torna a vir com a sua graça habitar em nossas almas.

— Maria, sois a minha fortaleza, o meu livramento, a minha paz e a minha salvação.

27. AMOR INCOMPREENDIDO

A Santa Igreja, no ofício do Santíssimo Sacramento, canta estas belas palavras: "Nenhuma nação, por maior que seja, tem os seus deuses tão perto de si como o nosso Deus está perto de nós" (Dt 4,7). Quando os pagãos ouviam falar das obras de amor do nosso Deus, exclamavam: "Como é bom o Deus dos cristãos!" E com efeito, percorrei a história e vereis que, embora os pagãos inventassem divindades à medida de seus desejos, nunca chegaram a imaginar um Deus tão cheio de amor pelos homens como o nosso verdadeiro Deus. Para testemunhar o seu amor aos que o adoram, e enriquecê-los com suas graças, dignou-se este Deus tão bom fazer-se o nosso companheiro perpétuo e permanecer conosco dia e noite sobre os nossos altares, como se não pudesse, nem por um instante, separar-se de nós. Tal é o "monumento que ele nos deixou de suas maravilhas" (Sl 110,4).

Assim, pois, amado Jesus meu, quisestes operar o maior dos vossos milagres, a fim de satisfazerdes o excessivo desejo que tínheis de habitar sempre no meio de nós. E por que os homens, sabendo disto, fogem de vossa presença? Como podem viver tanto tempo longe de vós, ou visitar-vos tão raras vezes? Como lhes parece um século o quarto de hora que passam na vossa presença! Tão profundo é o tédio que ali sentem! Ó paciência do meu Jesus, como sois grande! Ah! compreendo-vos, Senhor; vossa paciência ó grande, porque o vosso amor aos homens não tem limites; sim, esse amor é que vos obriga a permanecer constantemente no meio desses ingratos.

Ó Deus infinito em vosso amor, como o sois em todas as vossas perfeições, fazei que no futuro eu não pertença mais ao número desses ingratos, como no passado! Concedei-me um amor proporcionado ao que vos devo e ao que vós mereceis. Houve um tempo em que eu também sentia tédio na vossa presença, porque não vos amava, ou vos amava muito pouco; mas se com o auxílio da vossa graça, chegar a amar-vos muito, então farei consistir toda a minha felicidade em passar dias e noites inteiras aos pés de vossos altares. Pai Eterno, ofereço-vos o vosso divino Filho, recebei-o por mim; e por seus merecimentos dai-me um amor tão ardente e tão terno ao Santíssimo Sacramento, que, sempre voltado para uma igreja onde ele resida, eu não cesse de pensar nele e de suspirar pelo momento em que possa ir gozar de sua presença.

— Meu Deus, por amor de Jesus, dai-me grande amor ao Santíssimo Sacramento!

NOSSA PROTEÇÃO

Maria é aquela torre de Davi, de que fala o Espírito Santo nos sagrados Cânticos: "Ao redor dela se elevam fortalezas; ali se veem suspensos mil escudos e todas as armas dos valentes" (Ct 4,4). Vós sois portanto, Virgem

Santíssima — como diz Santo Inácio Mártir — "um escudo inexpugnável para aqueles que andam empenhados no combate". Como são numerosos os assaltos dos meus inimigos para me privarem da graça de Deus e da vossa proteção, Senhora minha querida! Mas vós sois a minha força; não vos dedignais de combater por aqueles que em vós põem a sua confiança, e por isso Santo Efrém diz que "sois a salvaguarda dos que em vós confiam". Defendei-me, pois, e combatei por mim, que em vós deposito toda a minha confiança e toda a minha esperança.

— Maria, Maria, o vosso nome é a minha defesa.

28. NELE TODOS OS BENS

Se Deus nos deu o seu próprio Filho — diz São Paulo — que bem poderia ainda recusar-nos? "Com ele não nos deu todos os bens?" (Rm 8,32). Sabemos, além disso, que o Pai Eterno pôs nas mãos de Jesus Cristo tudo quanto ele possui (Jo 13,2). Agradeçamos, pois, sem cessar, a bondade, a misericórdia, a liberalidade do nosso Deus amantíssimo, que nos quis enriquecer de todo o bem e de toda graça, dando-nos Jesus no sacramento do altar.

Assim, pois, Salvador do mundo, Verbo encarnado, posso estar certo que sois meu, e todo meu, se o quiser; mas posso eu dizer igualmente que sou todo vosso, como o quereis? Senhor, não permitais que eu leve a ingratidão ao ponto de recusar entregar-me a vós! Que eu não dê ao mundo semelhante espetáculo! Se o fiz no passado, que ao menos não o faça para o futuro. Consagro-me hoje inteiramente a vós. Consagro-vos para o tempo e para a eternidade, a minha vida, a minha vontade, os meus pensamentos, as minhas ações, os meus sofrimentos. Eis-me aqui para vós; como uma vítima, que vos é consagrada, separo-me das criaturas e ofereço-me inteiramente a vós; consumi-me com as chamas do divino amor. Não quero mais que as criaturas tenham parte alguma no meu coração. Vendo as provas de amor que me prodigalizastes, quando eu ainda, não vos amava, tenho a firme confiança de que me aceitareis, agora que vos amo, e que por amor me dou a vós.

Pai Eterno, ofereço-vos hoje todas as virtudes, todos os atos, todos os afetos do coração do vosso amado Jesus. Aceitai-os por mim e por seus merecimentos, que todos são meus, pois que mos deu, concedei-me as graças que Jesus vos pedir por mim. Ofereço-vos esses merecimentos para vos agradecer tantas misericórdias que me haveis feito;

ofereço-os para satisfazer à vossa justiça pelos meus pecados; e por esses merecimentos, enfim, espero de vós todas as graças, o perdão, a perseverança, o paraíso, e sobretudo o dom supremo do vosso santo amor. Bem sei que sou eu que ponho obstáculos aos vossos favores, mas dignai-vos remediar também a isso. Eu vo-lo rogo em nome de Jesus Cristo que prometeu: "Se pedirdes alguma coisa a meu Pai em meu nome, ele vo-la dará" (Jo 16,23).

Não podeis, pois, rejeitar a minha súplica Senhor, outra coisa não quero senao amar-vos, dar-me inteiramente a vós, e não ser mais ingrato como tenho sido até aqui. Volvei um olhar para mim, Senhor, e ouvi-me; fazei que neste dia me apegue a vós de tal maneira, que não cesse mais de vos amar. Amo-vos, meu Deus; amo-vos, bondade infinita; amo-vos, meu amor, meu paraíso, minha felicidade, minha vida, meu tudo.

— Meu Jesus, meu tudo, quereis que eu seja vosso, eu quero, também que sejais meu.

PORTO DOS AFLITOS

Que alívio eu sinto nas minhas penas, que consolação nas minhas tribulações, que força nas tentações, quando penso em vós, e vos chamo em meu auxílio, Maria, Mãe terna e santa! Grandes santos, quanta razão tendes de exaltar esta augusta Senhora minha, chamando-lhe como Santo Efrém: "o porto dos aflitos"; como São Boaventura: "a reparação de nossas desgraças e a consolação dos miseráveis"; como São Germano: "o fim das nossas lágrimas". Maria, consolai-me; vejo que estou cheio de iniquidades, cercado de inimigos, pobre de virtudes, frio no amor para com Deus. Consolai-me, consolai-me, mas a consolação que desejo é começar uma vida nova, uma vida verdadeiramente agradável a vosso Filho e a vós.

— Fazei-me outro, Maria, minha Mãe, fazei-me outro, pois vós o podeis.

29. JESUS À NOSSA PORTA

"Eis que estou à porta e bato" (Ap 3,20). Pastor amado, não contente com vos sacrificardes sobre o altar da cruz por amor de vossas ovelhas, quisestes ainda ficar nas igrejas oculto sob os véus da Eucaristia, a fim de estardes mais perto de nós e poderdes bater sempre à porta de nossos corações e obterdes entrada. Soubesse eu gozar da vossa presença, como o sabia vossa santa Esposa, que vos dizia nos Cânticos: "Assentada estou à sombra daquele por quem tanto havia suspirado" (Ct 2,3).

Se eu vos amasse, se vos amasse verdadeiramente, Jesus Sacramentado, então sim todo o meu desejo seria ficar dia e noite, sem cessar, ao pé de um sacrário; e aí, bem perto de vós e imóvel na presença de vossa majestade velada sob as espécies sagradas, eu também gozaria dessas delícias celestes e dessa felicidade inefável de que gozam as almas inflamadas de amor para convosco! Atraí-me, eu vo-lo rogo, atraí-me pelo odor de vossas perfeições e pelo amor imenso que manifestais neste sacramento. "Atraí-me; em vosso seguimento corremos ao odor dos vossos perfumes" (Ct 1,3).

Sim, Salvador meu, abandonarei todas as criaturas e todos os prazeres da terra, para correr ao sacramento que vos encerra. "Os vossos filhos serão como oliveiras novas em torno da vossa mesa" (Sl 127,3). Que frutos de virtudes não dão a Deus essas almas felizes, que, semelhantes a plantas tenras, circundam os vossos amados tabernáculos! Mas eu, meu Jesus, tenho vergonha de aparecer diante de vós, tão despido e vazio de virtudes. Ordenastes que ninguém se aproxime do altar, com intenção de vos honrar, sem vos fazer alguma oferta: "Não aparecerás em minha presença com as mãos vazias" (Êx 23,15).

Que devo então fazer? Deixar de visitar-

-vos? Não; isso vos desagradaria. Virei, pois, pobre como sou, e vós mesmo, Senhor, me fornecereis os dons que quereis receber de mim. Portanto, eu bem sei que permaneceis neste sacramento, não só para recompensar os vossos amigos, mas ainda para repartir com os pobres os vossos bens. Começai, pois, desde hoje.

Adoro-vos, Rei do meu coração e verdadeiro amante das almas. Pastor cheio de ternura para com as vossas ovelhas; eu hoje me aproximo desse trono do vosso amor, e, não tendo outra coisa para vos oferecer, apresento-vos o meu miserável coração, a fim de que seja consagrado inteiramente a vos amar e fazer a vossa vontade.

Com este coração eu posso vos amar; com este coração eu quero vos amar, quanto me for possível. Atraí-o, portanto, para vós, uni-o tão estreitamente à vossa vontade, que de hoje em diante eu possa dizer como o vosso caro discípulo que estou preso pelos laços do vosso amor: "Eu, Paulo, cativo de Jesus Cristo" (Ef 3,1).

Uni-me todo a vós, Senhor, e fazei que eu me esqueça de mim mesmo, para que chegue um dia a perder tudo e a mim mesmo, para achar a vós só, amando-vos sem fim. Amo-vos Senhor sacramentado; a vós me apego, a vós me uno; fazei que vos encontre e vos ame, e não vos separeis mais de mim.

— Meu Jesus, vós só me bastais.

ESTRADA DO SALVADOR

São Bernardo diz que Maria é "a estrada real do Salvador", estrada segura para achar o Salvador e a salvação; e acrescenta que ela é "o carro que conduz nossas almas a Deus". Sendo assim, augusta Rainha, não espereis que eu chegue a Deus, se não me levardes nos vossos braços. Levai-me, sim, levai-me; e, se eu resistir, levai-me à força; usai do vosso poder, e pelos doces atrativos da vossa caridade sujeitai a minha alma, obrigai a minha vontade rebelde a renunciar às criaturas, e a buscar só a Deus e a sua santa vontade. Mostrai à corte celeste a extensão do vosso poder. À multidão de vossos prodígios ajuntai um novo portento da vossa misericórdia, unindo estreitamente a Deus uma alma que andava completamente separada dele.

— Maria, podeis fazer que eu seja santo; de vós espero esta graça.

30. INVENÇÃO DO AMOR

"Por que me ocultais a vossa face?" (Jó 13,24). Era para Jó motivo de temor o ver que Deus lhe ocultava o seu rosto; mas o ocultar Jesus a sua majestade sob os véus eucarísticos não é para nós motivo de receio, e sim um motivo de confiança e amor; porque, como observa Novarino, "é exatamente para aumentar a nossa confiança e melhor nos manifestar o seu amor, que o nosso Deus se oculta sob as espécies do pão". Porquanto, se este Rei do céu deixasse brilhar em nossos altares o esplendor da sua glória, quem ousaria chegar-se a ele e manifestar-lhe com toda a confiança os seus afetos e desejos?

Meu Jesus, que invenção cheia de amor a do Santíssimo Sacramento, onde vos ocultais sob a aparência do pão, para estardes ao alcance de todos os que querem, aqui na terra, vos achar e amar! Muita razão tinha o profeta de exortar os homens a levantarem a voz e a publicarem por todo o mundo até onde chegaram as invenções do amor do nosso Deus para conosco: "Fazei conhecer aos povos as suas invenções" (Is 12,4).

Coração amoroso do meu Jesus, digno de possuir os corações de todas as criaturas; Coração sempre repleto de chamas do mais puro amor, ó fogo abrasador, consumi-me inteiramente e dai-me uma vida nova, toda de amor e de graça! Uni-me de tal maneira a vós que nunca mais de vós me separe.

Coração aberto para ser o refúgio das almas, recebei-me. Coração dilacerado na cruz pelos pecados do mundo, dai-me verdadeira dor de meus pecados. Sei que, neste divino sacramento, conservais os mesmos sentimentos de amor que tínheis ao morrer por mim no Calvário; é, pois, certo que desejais ardentemente unir-me todo a vós; será então possível que eu ainda resista e não me deixe vencer pelo vosso amor? Pelos vossos méritos vos peço: amado Jesus, feri-me, ligai-me, prendei-me estreitamente ao vosso Coração.

Com o auxílio da vossa graça tomo hoje a resolução de vos contentar em tudo daqui em diante, de calcar aos pés o respeito humano, inclinações, repugnâncias, caprichos, interesses, e enfim tudo o que possa impedir-me de vos contentar plenamente. Fazei, Senhor, que eu seja fiel à minha resolução e que de hoje em diante todas as minhas ações, todos os meus pensamentos e afetos, sejam inteiramente conformes à vossa vontade. Amor divino, bani do meu coração qualquer outro amor. Maria, minha esperança, tudo podeis junto de Deus: obtende-me a graça de ser até à morte um servo fiel do puro amor de Jesus. Amém, assim seja. Assim o espero no tempo e na eternidade.

— "Quem me separará do amor de Jesus Cristo?" (Rm 8,35).

MÃE COMPASSIVA

Afirma São Bernardo que o amor de Maria para conosco não pode ser maior nem mais poderoso; de sorte que ela é rica de ternura para se compadecer de nossas penas, e de poder para as aliviar. Ele diz: "A poderosa e compassiva caridade da Mãe de Deus distingue-se ao mesmo tempo pela ternura da sua compaixão e eficácia da sua proteção; nela estas duas coisas são igualmente imensas". É, pois, verdade, Rainha puríssima, que sois tão rica em poder como em bondade: a todos podeis e desejais salvar. Hoje, portanto, e todos os dias de minha vida, vos invocarei como o piedoso Luís Biósio: "Augusta Senhora, protegei-me nos combates, fortificai-me nos desfalecimentos". Sim, ó Maria, na grande luta que sustento contra o inferno, socorrei-me sempre; e quando virdes que eu estou a ponto de sucumbir, dai-vos pressa em estender-me a vossa mão, e sustentai-me fortemente. Deus, quantas tentações tenho ainda a vencer até à morte! Mas vós, minha esperança, meu refúgio, minha fortaleza, ó Maria, não permitais que eu perca jamais a graça de Deus. Estou resolvido a recorrer sempre e prontamente a vós em todas as tentações, dizendo;

— Socorrei-me, ó Maria! Ó Maria, socorrei-me!

31. ETERNO SACERDOTE

Como era belo contemplar o nosso amável Redentor no dia em que, fatigado da viagem, o rosto radiante de graça e de ternura "se assentara à borda de um poço" (Jo4,6), esperando a Samaritana para a converter e salvar. Pois, com essa mesma doçura, continuada dia por dia, o mesmo Jesus se conserva no meio de nós; descido do céu aos nossos altares, como a outras tantas fontes de graças, ele espera as almas e as convida a lhe fazerem companhia, ao menos por algum tempo, e isto a fim de atrai-las ao seu perfeito amor. De todos os altares, onde está sacramentado, Jesus parece dizer-nos: Homens, porque fugis da minha presença? Por que não vindes a mim, não vos aproximais de mim, que tanto vos amo e, para vosso bem, me conservo neste estado de abatimento? Que temeis? Não é ainda como juiz que eu vim ao mundo; neste sacramento de amor me ocultei unicamente para fazer bem e para salvar a quem quer que a mim recorra: "Não vim para julgar o mundo, mas para salvá-lo" (Jo 12,47).

Compreendamos bem que, como Jesus Cristo, no céu, está sempre vivo para interceder em nosso favor (Hb 7,25), assim, no sacramento do altar, se ocupa sem cessar, dia e noite, em exercer em nosso favor o caridoso ofício de advogado, oferecendo-se como vítima ao seu Eterno Pai para nos obter dele misericórdias e graças sem número.

Esta é a razão por que o piedoso Tomás de Kempis dizia que devemos aproximar-nos de Jesus no Santíssimo Sacramento e falar-lhe "sem apreensão nem constrangimento, como um amigo fala com seu amigo".

Visto que assim é, meu Rei e Senhor aqui oculto, permiti que vos abra o meu coração cheio de confiança e vos diga: Meu Jesus, terno amigo de nossas almas, eu conheço a ingratidão dos homens para convosco. Vós os amais, e eles não vos amam; vós lhes fazeis bem e eles vos desprezam; quereis que ouçam a vossa voz, e eles não vos escutam; vós lhes ofereceis graças, e eles as rejeitam... Meu Jesus, e é verdade que eu mesmo me ajuntei outrora a esses ingratos para vos ofender? Infelizmente é verdade; mas quero corrigir-me, quero durante os dias que me restam de vida, reparar as ofensas passadas, fazendo quanto possa para vos agradar e satisfazer. Dizei, Senhor, o que quereis de mim; estou disposto a fazer tudo quanto me ordenardes; fazei-me conhecer a vossa vontade por meio da santa obediência; espero executá-la fielmente. Meu Deus, estou decidido a fazer de agora para frente tudo que souber que vos agrada, ainda que seja necessário perder tudo: parentes, amigos, honra, saúde e a própria vida. Perca-se tudo, contanto que fiqueis satisfeito.

Feliz é a perda, quando tudo se perde e tudo se sacrifica para contentar o vosso Coração, Deus de minha alma! Amo-vos, Bem supremo infinitamente mais amável do que todos os outros bens, e, amando-vos, uno o meu pobre coração aos abrasados corações dos serafins, ao Coração de Maria, ao Coração de Jesus. Amo-vos com toda a minha alma, e só a vós quero amar sempre.

— Meu Deus, meu Deus, eu sou vosso, e vós sois meu.

TERNURA DE MÃE

Diz o bem-aventurado Amadeu que Maria, nossa Rainha santíssima, "está continuamente diante de Deus, exercendo o ofício de advogada nossa e interpondo em nosso favor o poderoso crédito de suas orações". Porque, ajunta ele, "vendo as nossas misérias e perigos, esta Senhora cheia de clemência não pode deixar de compadecer-se de nossos males e nos socorrer com uma ternura verdadeiramente maternal". Portanto, minha carinhosa Mãe, nesta hora mesma vedes as misérias da minha alma e os perigos que me cercam, e rogais por mim.

Rogai, sim, rogai, e não cesseis de o fazer até que me vejais no céu para vos render graças para sempre. Doce Virgem Maria, o piedoso Luís Blósio diz que, depois de Jesus, sois a salvação segura daqueles que vos servem fielmente. Pois bem, a graça que hoje vos peço é a felicidade de ser até a morte vosso servo fiel, a fim de que, ao sair deste mundo, vá bendizer-vos no céu, seguro de nunca ser privado da vossa presença, enquanto Deus for Deus.

— Maria, minha Mãe, fazei que eu vos pertença sempre.

Este livro foi composto com a família tipográfica Futura
e impresso em papel Offset 63g/m² pela **Gráfica Santuário.**